Pwll, Pêl
a Phulpud

Elwyn Jenkins

Gomer

Cyflwynaf y gyfrol hon i
Elizabeth

Cyhoeddwyd yn 2008 gan
Wasg Gomer, Llandysul, Ceredigion SA44 4JL

ISBN 978 1 84323 949 9

Hawlfraint (h) Elwyn Jenkins 2008

Mae Elwyn Jenkins wedi datgan ei hawl dan
Ddeddf Hawlfreintiau, Dyluniadau a Phatentau 1988
i gael ei gydnabod fel awdur y llyfr hwn.

Dymuna'r cyhoeddwyr gydnabod cymorth
Cyngor Llyfrau Cymru.

Argraffwyd a rhwymwyd yng Nghymru gan
Wasg Gomer, Llandysul, Ceredigion

Cynnwys

Cyflwyniad yr Athro Hywel Teifi Edwards   7

Rhagair   9

Dyddiau Bore Oes   11

Talcen Caled y Lofa   24

Y Bêl Hirgron   39

Galwad yr Efengyl   53

Brynaman a Chwmllynfell   58

Aberystwyth   66

Llanbed   86

Cyflwyniad

Yng nghapel bach Bryn Seion, Llangennech, y cyfarfûm gyntaf â'r Parchg. Elwyn Jenkins. Roedd yno'n pregethu a chawswn glywed am ei gampau fel chwaraewr rygbi, flynyddoedd ynghynt, gan flaenor hynaf yr eglwys, y diweddar D. J. Lewis. Gŵr plwmp ei farn oedd ef a mynnai fod Elwyn wedi cael cam gan y 'Big Five'. Roedd e'n llawn haeddu cap ond 'fe gath ei robio!' Yr hen stori, 'Boi o gylch Cross Hands, ddim digon da i snobs Caerdydd.'

Yn sicr, ni allai neb ddweud nad oedd yn ddigon tal. Hawdd credu ei fod yn 'un da yn y lein'. Ac i fi roedd yn un da yn y pulpud hefyd, yn bresenoldeb atyniadol ac yn ddi-ffŷs ei draddodi. Nid un i geisio creu *effects* mohono. Roedd ganddo genadwri i'w throsglwyddo ac roedd ganddo ddigon o ffydd yn ei gwerth cynhenid i wneud hynny heb osio tynnu sylw at berfformiad.

Nid na wyddai sut i ddefnyddio stori i danlinellu ei bwynt. Gafaelai yn ei gyfle mor gelfydd ag y cipiai'r bêl o'r aer pan serennai yn ail reng y Scarlets, a'r All Whites yn ddiweddarach. Ar ei bregeth y tro cyntaf hwnnw i fi ei gwrdd a'i glywed, pwysleisiai wirionedd eiriau Paul – 'pawb a bechasant' – a'r rhaid y byddai ar bob un ohonom i ateb drosom ein hunain. Ni châi neb osgoi'r cyfrif. Clensiodd y gwirionedd ofnadwy hwnnw â'i stori am bregethwr tân a brwmstan ar ei focs yn Hyde Park yn taranu am y farn i ddod: 'And there will be wailing and gnashing of teeth!' Fe'i heclwyd: 'What about those who haven't got any teeth?' A chafwyd bwled o ateb parod: 'Teeth will be PROVIDED!' Y mae'n enghraifft gofiadwy o stori yn ateb ei phwrpas i'r dim.

Nid yw'n ddim syndod mai'r diweddar Grav a gymhellodd Elwyn i adrodd ei stori ar bapur. Nid y gêm rygbi yn unig, o bell ffordd, a'u tynnai at ei gilydd. Ymhyfrydent yn eu brogarwch a'u Cymreictod â chyffelyb angerdd, er bod arddull Elwyn, wrth gwrs, yn llai operatig o gryn dipyn nag arddull Grav. Ond o ran ei ddiléit yn y natur ddynol, ei synnwyr digrifwch ffein a'i werthfawrogiad hael o'r bobol yn y gwahanol ofalaethau y bu'n gweinidogaethu ynddynt, daw'r Parchg. Elwyn Jenkins i'r amlwg yn yr hunangofiant byr hwn fel gŵr o Gristion hawddgar.

Ef fyddai'r olaf i ymhonni'n llenor; y mae'n rhy ddi-hunan a di-gŵyn i geisio'r fath statws. Gŵr diffuant ei ddiolch am bob dim a gafodd mewn bywyd a luniodd *Pwll, Pêl a Phulpud*. Byddai'i hunangofiant, fel darn o lenyddiaeth, ar ei ennill petai wedi rhoi'r ffrwyn weithiau ar war ei ddicterau – oherwydd mae'n amlwg fod rhai pethau'n ei flino. Ni fu'n golier cyn rhoi'i fryd ar fod yn weinidog heb ddysgu am anghyfiawnderau a beichiau bywyd. Ni fu'n weinidog yr efengyl trwy flynyddoedd chwalfa crefydd gyfundrefnol Cymru heb sylwi'n flin ar y gwargaledwch enwadol sydd fel pe am wadu dyfodol ffres i'r Gristnogaeth yn ein gwlad. Y mae'n ddiau iddo ef fynd i'r weinidogaeth i weithio dros y Deyrnas. Yn ei ofalaethau ym Mrynaman, Aberystwyth a Llanbedr Pont Steffan, ar weithredu y rhoes Elwyn bwys. Gweithio gyda'i bobol, yn blant a phobl ifanc, yn ganol-oed a hen – creu cymdeithas Gristnogol gytûn, cymdeithas gydgynhaliol gynnes ei dynoliaeth a ffrwythlon ei chred. Dyna fu, a dyna sy'n cyfrif iddo yn fwy na dim.

Yn wreiddyn i'r cyfan y mae'r fagwraeth a gafodd ym Mhen-twyn, ger Cross Hands, ac yn ei folawd i'r fagwraeth honno y mae wedi sicrhau i'r dyfodol ddarlun arall o'r diwylliant Cymraeg y mae ei fowld, bellach, wedi'i chwalu am byth. Bu byw i weld datgorffori'r capel bach ym Mhen-twyn, a phrofi dolur sylweddoli na welai pobol Cross Hands mwyach 'oleuni yn ei ffenestri yn nhywyllwch gaeaf yn eu hatgoffa am y realiti dwyfol.' Bu byw, hefyd, i weld datgorffori'r Tabernacl, yn Aberystwyth, lle bu'n weinidog am wyth mlynedd ar hugain. Ni cheisia gelu'r boen o weld eu colli, ond mae ef mor sicr ei ffydd ag erioed ac yn ei ddyfalbarhad tawel y mae gweld grym ei benderfyniad i hyrwyddo'r Gristnogaeth yng Nghymru tra gallo.

Gŵr yw'r Parchg. Elwyn Jenkins sy'n amlwg wedi cymryd y cyngor – 'Ymhob dim diolchwch' – at ei galon. Y mae cael rhan darllenwr yn ei fywyd yn lles i'r enaid.

Hywel Teifi Edwards

Rhagair

Penderfynais ysgrifennu'r llyfr hwn o ganlyniad i sgwrs gyda'r diweddar annwyl Ray Gravell ar Radio Cymru dro yn ôl. Soniais wrtho am fy mhrofiad yn chwarae rygbi slawer dydd i'r Tymbl, Llanelli ac Abertawe, ac am fy amser yn gweithio yn y lofa cyn troi wedyn at y weinidogaeth. Gyda'i frwdfrydedd heintus arferol, dywedodd Ray wrthyf mai'r dasg amlwg nesaf oedd ysgrifennu llyfr! Felly, dyma fentro arni yn ôl ei anogaeth.

Ymgais yw'r llyfr hwn i ddethol rhai darluniau sydd wedi aros yn y cof, rhai ohonynt ers bore oes.

Fe ddaeth oes dechnegol i'n rhan erbyn hyn, gyda llawer newid ym mhatrwm ein byw, ond y mae gafael ein gwreiddiau yn dal i dynnu yn yr enaid ymhob oes. Nid oedd yn arfer gennyf gadw dyddiadur, gwaetha'r modd, felly rhaid oedd dibynnu ar yr hyn a gadwyd yn y cof. Gobeithio y bydd adrodd hanes rhai o'r hen arferion yn fodd i sicrhau na fyddant yn mynd yn angof.

Carwn ddiolch i nifer o gymwynaswyr a chyfeillion am rannu o'u hatgofion a'u lluniau â mi. Diolch i chi oll am eich hynawsedd a'ch amynedd wrth i mi lunio'r gyfrol hon. Diolch yn arbennig i Esyllt Davies am deipio'r llawysgrif. A diolch i Wasg Gomer am argraffu'r gyfrol ac am bob awgrym gwerthfawr gydol ei thaith.

Rwyf yn ddyledus iawn i'r Athro Hywel Teifi Edwards am gyflwyno'r gyfrol, ac i'r teulu a'r cymdogion ym Mhen-twyn, Cross Hands a'r Tymbl, ynghyd ag aelodau'r eglwysi ym mhob ardal y bûm yn llafurio ynddynt am eu cefnogaeth gyson. Gallaf ddweud gyda'r apostol Paul gynt ' Byddaf yn diolch i Dduw bob tro y byddaf yn cofio amdanoch chwi'.

Elwyn Jenkins

DYDDIAU BORE OES

Ym Mhen-twyn sir Gâr y bu dechrau'r daith. Fel y mae'r enw yn awgrymu, bryn uchel ydyw, yn edrych i lawr ar groesffordd go arbennig – cylchfan erbyn hyn, wrth gwrs – sef Cross Hands. Erbyn heddiw mae siopau mawrion megis Leekes a Leo's yn teyrnasu yno, ond pan oeddwn yn grwt, tipiau glo Cross Hands a'r Emlyn oedd i'w gweld o'n blaen, a gweithfeydd glo eraill wedyn, wrth edrych i gyfeiriad Rhydaman. Roedd y tirlun yn peri i ddyn feddwl am wlad y pyramidiau.

O ben y twyn hwn ar ddiwrnod clir ceir golygfa banoramig yn ymestyn dros sawl sir. Mae sir Gaerfyrddin yn ei gogoniant os edrychir i gyfeiriad Rhydaman a Llandeilo, gyda'r Mynydd Du a Bannau Brycheiniog yn y pellter; os edrychir wedyn i gyfeiriad Abertawe, yr hen sir Forgannwg sydd i'w gweld, ac wrth edrych i gyfeiriad y Gorllewin, mae hyd yn oed modd gweld Ynys Bŷr oddi ar arfordir sir Benfro, gerllaw Dinbych-y-pysgod. Mae'n olygfa fendigedig, a does fawr o syndod mai'r ardal hon oedd Eden i mi. Er i mi fyw mewn llefydd eraill, Pen-twyn biau lle arbennig yn fy nghalon.

Does dim stryd na chlwb na thafarn wedi bod ym Mhen-twyn erioed, dim ond capel a arferai fod yn ganolbwynt i'r gymuned. Erbyn heddiw, dim ond rhyw ddau dŷ sydd yno; ffermydd yw'r lleill i gyd. Bellach, mae mewnfudwyr o Loegr wedi prynu'r ffermydd a does fawr o neb lleol yn adnabod y perchnogion oherwydd mai ymweld yn achlysurol ar ambell benwythnos y mae llawer ohonynt yn ei wneud. Y mae'r hen gymdogaeth dda wedi darfod i raddau helaeth a'r capel wedi cau.

Ond gwahanol iawn oedd pethau ar ddechrau'r daith yn 30au'r ganrif ddiwethaf. Cefais fy magu ym Mhen-twyn Cottage fel y mab hynaf o wyth o blant i David John ac Alice Jenkins. Y plant eraill oedd Cecil, Harold (sydd wedi marw), Dilys, Gwyneth, yr efeilliaid Elvet a Glyn, a'm chwaer ifancaf, Jean.

Plant sir Gâr oedd fy rhieni hefyd. Roedd gan deulu fy nhad dyddyn ym Mhen-twyn, lle roedden nhw'n cadw rhyw ddwy neu dair buwch ac arferent gerdded y saith milltir i Lanelli i werthu menyn ac wyau yn y farchnad yno. Un o Bencader oedd fy mam, un o chwech o blant. Gweithiodd gartref tan iddi briodi fy nhad ym 1932 a symud i fyw i'r bwthyn bach ym Mhen-twyn.

Mae'n rhyfedd fel mae'r rhod yn troi oherwydd yn ddiweddar daeth tir Penrheol a oedd yn eiddo i Dad-cu a Mam-gu gynt, yn ôl i'r teulu pan brynodd Jean, fy chwaer ifancaf, a'i phriod, Gareth ef.

Hwyrach bod rhai ohonoch wedi bod yn dilyn yr hynt a'r helynt a fu yn yr ardal pan fu achosion llys i geisio diogelu afon fach gyfagos, sef Nant Glas, rhag iddi gael ei llygru, a hynny oherwydd dymuniad un gŵr i droi cae o'r tu arall i'r afon yn fynwent eco-gyfeillgar neu'n fynwent werdd. Bûm yn siarad droeon ar y radio ac yn ysgrifennu i'r *Western Mail* o dan y pennawd 'Grave Issue at Tumble', ynglŷn â'r mater hwn ac roedd yn rhyddhad mawr i drigolion Tymbl Uchaf pan wrthodwyd y cais.

Doedd fawr o sôn am wyliau pan oeddwn i'n blentyn, eto rwy'n cofio sut y byddai Mam yn mynd â rhai ohonon ni'r plant hynaf am wythnos at ei thad a'i mam, i'w tyddyn bach o'r enw Cnwc Du yn ymyl Pencader. Byddem yn dal bws yr United Welsh a deithiai o Abertawe i Gaerfyrddin ar waelod hewl Pen-twyn, ac yna wedi cyrraedd Caerfyrddin dal bws Blossom i Bencader. Roedd Mam-gu yn dwlu ein gweld a byddai'n ein cofleidio a'n cusanu am amser. Dynes fechan iawn oedd hi o ran corff, a'i gwallt hir wedi ei gylchu yn dwlpyn tu ôl i'w phen. Roedd hi wastad yn gwisgo ffedog, a byddai clocs am ei thraed yn llusgo clip-clop ar hyd y llawr at y lle-tân mawr, lle roedd tecil neu grochan yn hongian oddi ar tsaen hir. Cofiaf mai grisiau cerrig oedd yn arwain i fyny i'r llofft.

Roedd Tad-cu, sef John Ansell, yn ddyn sgwâr a chadarn, wedi eillio ei ben fel Kojak, ac yn smocio Franklin Shag yn ei bibell. Er bod ganddo dyddyn, roedd yn ennill ei fywoliaeth trwy weithio i'r cyngor sir, a byddai lorri'r cyngor yn ei godi bob bore. Roedd ganddo ast ddefaid bryd hynny o'r enw Cora, mor ddeallus â dyn. Byddai'n hebrwng Tad-cu bob bore trwy'r goedwig fechan i ddal y lorri am wyth o'r gloch, yna byddai hi'n mynd adref. Ond am bump o'r gloch bob nos byddai hi nôl yn ymyl yr hewl fawr yn disgwyl iddo ddisgyn o'r lorri er mwyn cerdded gydag e tua thre.

Roedd afon fechan wrth ddrws Cnwc Du hefyd, a byddem fel plant wrth ein bodd yn ceisio pysgota ynddi.

Nôl ym Mhen-twyn, roedd boreau ysgol yn rhai prysur. Roedd angen dechrau mas yn gynnar gan fod bron dwy filltir i'w cerdded er mwyn cyrraedd ysgol elfennol Cwmgwili, a hynny ym mhob tywydd, wrth gwrs. Pan oedd hi'n bwrw glaw mi fyddem yn sychu'r dillad wrth dân mawr yn yr ystafell ddosbarth.

Cyn gadael yn y bore, cofiaf fel y byddai Mam yn rhoi llwyed o *codliver oil* i bob un ohonom er mwyn inni gael maeth angenrheidiol. Roeddem yn gorfod sefyll mewn llinell i gael cyflenwad o'r truth melltigedig hwn a llwnc o sudd oren wedyn i wneud i ffwrdd â'i flas. Fi, fel yr hynaf, oedd y diwethaf i adael y tŷ am yr ysgol oherwydd bod Mam yn paratoi llwyth o frechdanau ar gyfer amser cinio, a fi oedd â'r gofal amdanynt.

Dyn o'r enw Mr Evans oedd prifathro Ysgol Cwmgwili yn fy nghyfnod i yno. Dioddefai o malaria ac fe fyddai'n cael ambell gyfnod anodd – a'i dymer yn wael bryd hynny – ond roedd hwyliau da arno weithiau. Tua 60 o blant oedd yn yr ysgol a thair athrawes dda yn ein dysgu. Ond os na byddem yn bihafio, roedd gwialen Mr Evans yn cael ei defnyddio, ac nid yn ysgafn o bell ffordd. Roedd y *whipper-in* yn galw'n weddol aml hefyd. 'Jac y Bachyn' oedd ein henw arno oherwydd ei fod wedi colli ei law ac yr oedd bachyn yn ei lle. Os oedd rhywun yn 'mitcho' roedd e'n dod heibio ar ei feic a galw yn eich tŷ. Cofiaf amdano'n mynd ag ambell un wrth ei fachyn yng ngholer ei got a'i fartsio i'r ysgol. Roeddem i gyd fel plant yn ei ofni'n ddirfawr oherwydd ei fod yn berson swrth a chas, yn ein golwg ni beth bynnag.

Prynhawn dydd Gwener oedd uchafbwynt yr wythnos i ni, oherwydd ar y prynhawn hwnnw byddem yn cael gweld lluniau drwy'r *magic lantern* ar sgrîn fawr, a byddai cryn edrych ymlaen at hynny. Neu byddem yn cael stori Robinson Crusoe a chlywed am ei helynt ef, neu storïau rhamantus eraill. Digon syml oedd ein chwarae ar iard yr ysgol – marblis a thop i'r bechgyn a sgipio a *hopscotch* i'r merched.

Ar yr ochr draw i'r hewl o ysgol Cwmgwili roedd Siop Joyce fel yr oeddem yn ei galw, ac amser chwarae byddem yn galw yn y siop am werth ceiniog o Spanish neu werth ceiniog o bop. Ond rhyw ddiwrnod, wrth i mi ddilyn criw o blant i groesi'r hewl fawr, fe ges i fy mwrw i lawr gan fodur. Pan ddihunais, ar ôl bod yn anymwybodol, roeddwn yn gorwedd ar y gwely gartre. Dywedodd Mam fy mod wedi colli blwyddyn gyfan o'r ysgol o ganlyniad i'r ddamwain honno, ac mae'n siwr fod y profiad wedi effeithio tipyn arnaf.

Ym 1939, dechreuodd yr Ail Ryfel Byd ac fe welwyd newid mawr yn ein ffordd o fyw. Fe ddaeth dyddiau'r blacowt a rhaid oedd gofalu nad oedd golau i'w weld yn un man yn y nos neu byddech yn cael eich cosbi. Byddai'r heddlu yn dod o gwmpas i sicrhau bod y rheolau yn cael eu cadw. Roedd gan oedolion *Identity Card* nawr, ac roedd disgwyl iddynt gario'r cerdyn bob amser. Doedd y newidiadau ddim yn ddrwg i gyd, fodd bynnag: fe fuom yn ddigon ffodus am gyfnod i gael ein cario gan y lorri laeth i'r ysgol!

Yn ddisymwth, dyma faciwîs o Lundain yn ymddangos yn ein hysgol ni. Nid oedd plant Cwmgwili yn gallu siarad Saesneg bryd hynny ac, yn naturiol ddigon, nid oedd Cymraeg gan yr ymwelwyr. Bu'r gagendor hwnnw yn achos aml wrthdaro, ond buan iawn fe ddysgodd nifer ohonynt y Gymraeg.

Un arfer newydd oedd gorfod cario masg nwy i'r ysgol ac ymarfer sut i'w ddefnyddio o bryd i'w gilydd. Roedd y masgiau'n bethau anghysurus iawn ond yr oedd yn rhaid eu dioddef.

Yr oedd llawer o lorïau'r Americaniaid yn pasio heibio i'r ysgol a byddem ni'r plant yn codi llaw arnynt ac yn gweiddi, 'Any gum, chum?', er mwyn i'r milwyr daflu gwm cnoi atom ni. Yr oedd y *convoys* hyn ar y ffordd ar gyfer y 'D-Day', fel y'i gelwir, pan fu i filwyr America a Phrydain lanio yn Normandi a gyrru'r Almaenwyr yn ôl.

Daeth y rhyfel yn frawychus o agos atom ni, serch hynny. Roedd awyrennau'r *Luftwaffe* wedi ymosod ar Abertawe nes bod rhan o'r dref yn adfeilion; lladdwyd cannoedd o bobl a niweidiwyd llawer mwy. Pan oedd Abertawe yn cael ei bomio gwelem yr awyr yn olau oherwydd y tân, ac roedd ffenestri ein tŷ ni yn crynu gan yr effaith. Pan fyddai awyrennau'r Almaenwyr yn dod, a'u sŵn arbennig mor hawdd ei adnabod, mi fyddai seiren yn seinio a ninnau'n teimlo'n ofnus iawn. Roedd ambell un yn yr ardal wedi adeiladu *air-raid shelter*, yn yr ardd. Ar ôl i Ffrainc syrthio, ofnid y byddai'r Almaenwyr yn cyrraedd de Cymru cyn bo hir. Roedd yr awdurdodau'n disgwyl y byddai yna gyflafan fawr, a dyna paham yr adeiladwyd Ysbyty Treforys i dderbyn y clwyfedigion. Roedd yr holl drafod yn fyw iawn i ni blant ar y pryd ac mae'n syndod i mi nad yw plant ysgol heddiw yn gwybod llawer mwy am y cyfnod hwn sy'n rhan mor allweddol o hanes ein rhyddid presennol.

Roedd popeth yn brin bryd hynny a dogni ar y bwyd. Os ydwyf yn cofio'n iawn, roeddem yn cael 2 owns o fenyn, ¼ pownd o fargarin, ychydig o lard ac yn y blaen. Ond yr oedd yn rhaid cael cwpons i gael bwyd a dillad. Roeddem yn medru cael digon o fara, er iddo gael ei ddogni am gyfnod wedi'r rhyfel.

Yr oeddem ni, fel teulu, yn ffodus bod gennym ardd fawr lle'r oeddem yn gallu tyfu pob math o lysiau. Roeddem hefyd yn cadw ieir, ac yn magu dau fochyn pob blwyddyn, un mawr erbyn y gaeaf ac un llai dros yr haf er mwyn cael cig a saim. Roedd yn rhaid halltu'r coesau ôl ar fainc y pantri a'u hongian uwchben y gegin. Yn ystod y misoedd pan oedd y mochyn yn cael ei fagu, byddem fel plant yn ei anwesu ac yn mynd ag ef am dro drwy'r ardd – ac yntau wrth ei fodd pan fyddem yn ei olchi â siampŵ. Ond diwrnod diflas ofnadwy oedd dydd ei ladd. Roedd yn ddiwrnod mawr, serch hynny, a byddem yn rhannu'r stêcs gyda'r cymdogion a hwythau'n gwneud yr un fath yn eu tro. Arferem ni'r plant chwythu'r bledren i fyny er mwyn chwarae pêl-droed neu rygbi â hi oherwydd nid oedd gennym beli bryd hynny.

Adeg y Nadolig, yr unig anrhegion y byddem ni'r plant yn eu cael oedd afal, oren a chnau yn ein hosan, ac i ginio Nadolig, dim ond pryd o fwyd cyffredin fel pob diwrnod arall oedd i'w gael.

Cofiaf un stori o gyfnod y dogni pan oedd cymydog wedi prynu mochyn wedi ei ladd ar y *black market*, fel y'i gelwid yr adeg honno. Credai y gallai dwyllo'r awdurdodau trwy ddefnyddio hers i'w gario adref. Ond oherwydd bod rhew trwm ar yr hewl, mhoelodd yr hers ac fe lithrodd y mochyn allan. Daeth plismon, cafwyd gwŷs ac aethpwyd â'r cymydog druan i'r llys!

Cofiaf fod carcharorion o'r Eidal yn gweithio ar y tir yn ymyl Pen-twyn yn ystod y rhyfel. Doedd y merched a fyddai'n cyfeillachu â hwy ddim yn boblogaidd o gwbl gyda'r cymdogion, ond bu i rai o'r carcharorion setlo i lawr yma wedi'r rhyfel a magu teuluoedd ac fe anghofiwyd am yr anghydfod a'r dieithrwch ar ôl hynny. O gwmpas tyddyn Tad-cu a Mam-gu ym Mhencader, rwy'n cofio am garcharorion o'r Almaen wrthi'n gweithio yn clirio'r eithin.

Un o'r pethau sydd wedi'i hoelio ar ddarlun y cof yw sancteidd-rwydd y Sul tawel trwy gydol fy mhlentyndod. Roedd dydd Sul yn wahanol i bob diwrnod arall o'r wythnos. Os nad oeddech yn mynd i'r cwrdd roedd rhywbeth yn od iawn ynoch. Does dim angen dweud mai'r gwrthwyneb sy'n wir erbyn hyn. Doedd dim gwaith i'w wneud ar y Sul ac nid oedd hi'n dda arnom fel plant pe baem yn cadw sŵn neu'n chwibanu.

Cofiaf am ddau beth oedd yn bwysig i ffermwyr y tywyn, sef cael mynd i'r capel ar y Sul i wrando ar bregeth a chael sgwrs wedi dod mas, ac yn ail, cael mynd i'r mart yng Nghaerfyrddin ar ddydd Mercher. Dyna oedd eu nefoedd ar y ddaear.

Roedd yr achos ym Mhen-twyn yn mynd yn ôl i ddyddiau Griffith Jones a'i ysgolion cylchynol. Talwrn ymladd ceiliogod oedd wedi bod ar y safle ar un adeg, a sgwâr bocsio hefyd ar un cyfnod. Ond pan sefydlwyd yr Ysgol Sul yno'n ddiweddarach, fe ddaeth yr arferion anwar hyn i ben. Fe sefydlwyd eglwys yno, ac roedd y trydydd adeilad a godwyd ym 1903, sef yr un rwyf i a'm cyfoedion yn ei gofio, yn adeilad hardd tu hwnt, yn enwedig y tu fewn. Yr oedd y capel hwn yn ddinas ar fryn na ellid ei chuddio ac yr oeddem yn ymfalch'io ynddo yn yr ystyr orau. Cofiaf fel yr oedd yr Ysgol Sul yn fwrlwm o brysurdeb pan oeddwn yn grwt, yr oedolion a'r bobl ifanc yn cyfarfod yn y capel a'r plant yn y festri.

Pinaclau y flwyddyn oedd yr uchel wyliau, sef y Cyrddau Mawr ar y Sul a'r Cyrddau Diolchgarwch yn ystod yr wythnos. Byddai'r capel yn llawn a phobl wedi cerdded o bell, o Gwmgwili, Cross Hands a'r Tymbl. Cofiaf fel y byddai rhai pregethwyr yn llawdrwm ar y rhai oedd yn mynd i'r ddawns a'r sinema, a chofiaf ddarllen yn rhywle'r pennill bach hwn:

O cadw fachgennyn o'r sinema ddu,
Mae rhwyd gan y gelyn
Dan flodyn a phlu
Athrofa drygioni yw'r sinema i ni.

Ychydig a feddyliwyd bryd hynny y byddai gan bawb eu sinema fach yn eu cartrefi ymhen blynyddoedd i ddod.

Roedd y Gymanfa Bwnc yn boblogaidd iawn hefyd pan oeddwn yn ifanc a byddem fel plant yn gorfod dysgu'r *Rhodd Mam* ar gyfer yr ŵyl flynyddol ar ddydd Llun y Pentecost. Roedd nifer o eglwysi'r Methodistiaid Calfinaidd yn gwahodd y Gymanfa hon yn eu tro bob blwyddyn. Byddai plant dwy Ysgol Sul yn cael eu holi ar y *Rhodd Mam* yn y bore. Yna byddai'r oedolion a oedd wedi dysgu pennod o'r Testament Newydd, ar eu cof, yn ei llafar-ganu ac yna'n cael eu holi gan y gweinidog. Ar ôl cinio byddai dwy Ysgol Sul arall yn cael eu holi ac yna dwy arall wedi amser te. Cymaint oedd y brwdfrydedd yr adeg honno fel y byddem yn cerdded trwy wynt a glaw, pe byddai rhaid, i Beniel Foelgastell, Llanllian a Chefnberach, ble bynnag y byddai'r Gymanfa Bwnc yn cael ei chynnal. Do, fe gawsom flas ar yr holi a'r trafod er bod tipyn o sbarcs yn hedfan weithiau wrth ddehongli adnod. Ond byddai heddwch bob amser yn teyrnasu yn y gwersyll erbyn diwedd y dydd.

Rwy'n hoff o'r stori am aelod yn dweud wrth ei weinidog nad oedd yn gallu credu'r peth hyn a'r peth arall am Dduw. Gofynnodd y gweinidog iddo beth oedd maint yr het yr oedd yn ei gwisgo. Atebodd "6⅞". Ac meddai'r gweinidog wrtho, 'Sut yn y byd ydych chi'n disgwyl i Dduw, creawdwr popeth gweledig ac anweledig ffitio i mewn i "6⅞"?'

Roedd fy nhad a mam yn gofalu am gapel Pen-twyn a'r festri. Yn y gaeaf, felly, roedd tipyn o waith i lanw'r glo i mewn i'r boeler ar nos Sadwrn ac ar y Sul. Yn ogystal â hynny roedd yn rhaid cynnau'r lampau olew o amgylch y capel a phwmpio'r lamp tili. Bron na allaf glywed sŵn y tili mor glir heddiw ag erioed.

Gerllaw'r capel roedd yna stabal ar gyfer cadw ceffylau'r pregethwyr. Rwy'n cofio gweld elor yn cael ei chadw yno hefyd. 'Slawer dydd, fe fyddai arch yn cael ei rhoi ar yr elor hon a byddai wedyn yn cael ei chario gan dîm o ddynion i'r gwasanaeth yn y capel. Roedd fy nhad yn dorrwr beddau ym mynwent Pen-twyn, a chofiaf ei helpu ar brydiau i dorri ambell fedd. Cofiaf mai'r tâl am fedd ffres oedd £4.00 a £2.50 am ailagor bedd.

Yn ei gerdd, 'Y Capel yn Sir Gaerfyrddin', disgrifiodd Gwenallt i'r dim fywyd capel y cyfnod:

> Mor syber oedd y Sabothau yn Seion,
> Mor naturiol oedd y Capel yn y wlad;
> Y Capel a oedd yn fyw gan yr Efengyl
> Ac yn gynnes gan emynau Pantycelyn, Dafydd Jones o Gaeo,
> Tomos Lewis o Dalyllychau ac emynwyr y sir.
> Y tu allan iddo yr oedd cerbydau'r ffermwyr
> Ac yn yr ystabl wrtho yr oedd y ceffylau yn pystylad
> Ar ganol gweddi a phregeth . . .

Rwy'n hoff o'r stori honno am ffermwr yn yr hen ddyddiau a oedd eisiau gwerthu ei geffyl i'r gweinidog. Meddai'r ffermwr wrtho,

'Mae'n geffyl arbennig, mae'n medru tynnu o'r ochr chwith i'r siafft neu o'r ochr dde, ac mae'n arbennig am gydweithio â cheffylau eraill mewn tîm.' Atebodd y gweinidog ef, 'Gyfaill, alla i ddim fforddio prynu eich ceffyl, ond hoffwn yn fawr petawn yn medru ei gael yn aelod yn fy Eglwys!'

Wrth sôn am yr awyrgylch duwiol ar y Sul rwy'n cofio'r olygfa wrth gerdded i mewn i dŷ fferm y Coedtir y tu ôl i'n tŷ ni: roedd lamp olew wedi ei pholisho ar y seld, y Beibl a'r llyfr emynau ar y ford, a llun Spurgeon – pregethwr mawr yn Llundain – yn hongian ar y wal yn edrych i lawr arnaf. Dyna oedd yr awyrgylch yn y ffermydd eraill hefyd – doedd golau trydan ddim wedi dod i Bentwyn yr adeg honno, ac roedd canhwyllau a lampau yn bendant yn ychwanegu at y naws ysbrydol.

Yn wrthgyferbyniad llwyr i hyn, yn ystod blynyddoedd y rhyfel byddai'r Home Guard yn ymarfer lawr yn y pant ar fore dydd Sul, yn martsio'n ôl ac ymlaen ar y sgwâr. Gan fod fy nhad wedi bod yn y Welsh Guards adeg y Rhyfel Byd Cyntaf, cafodd ei wneud yn sarjant yn ôl y rheolau ar y pryd. Roedd chwaer fy nhad, sef Sarah Jane, yn byw yn Cross Hands ac yn cadw siop a thŷ bwyta, ac yr oedd yr Home Guard yn gorymdeithio heibio i'w thŷ. Ac meddai hi wrthyf un diwrnod: 'Edrych ar Rhys ac Isaac ni yn eu canol nhw yn martsio fel dau dwrci!'

Islaw i'n tŷ ni ar bwys y capel roedd fferm fach o'r enw Tŷ'r Efail. John Jenkins oedd yn byw yno, ac roedd yn flaenor yn y capel. Yr oedd ef a'i chwiorydd yn ddall ers eu bod yn naw mlwydd oed. Yr oedd John yn adnabod pobl y fro wrth eu cerddediad ac wrth eu llais. Roedd ganddo geffyl o'r enw Caerleon a gerddai'n lletchwith iawn o ganlyniad i ddamwain a gafodd yn y gwaith glo. Cofiaf pan oeddwn yn cywain y gwair fy mod yn arwain y ceffyl hwn o un mwdwl i'r llall a dywedodd John wrthyf, 'Os wyt ti am i Caerleon symud, rhaid i ti weiddi ar bwys ei glust oherwydd dyw e ddim yn clywed yn dda.'

Cofiaf pan oedd John yn sâl ac mewn tipyn o oedran, iddo ddyfynnu llu o adnodau o'r Beibl i'w gysuro yn ei boenau. Roedd hi'n amlwg, hyd yn oed i mi fel crwt ifanc, bod ffydd yr hen bobl yn eu cynnal drwy ystormydd bywyd, ac nid rhedeg i'r fferyllfa oedd yr ateb iddynt hwy.

Fferm arall y byddwn yn mynd iddi yn aml oedd Blaenau Isaf i lawr ar Hewl Pen-twyn. Roeddwn yn mynd yno yn fore iawn pan oedd fy nhad yn mynd heibio, tua chwech o'r gloch y bore, i'r gwaith. Verona, y ferch ieuengaf, aeth â mi i ysgol Cwmgwili am y tro cyntaf, ac yr oedd hi'n gofalu amdanaf rhag y bwli amser chwarae. Yn aml, wedi cael bod ar y fferm drwy'r dydd a chlywed cymaint o sôn ym Mlaenau Isaf am Hitler, roedd yn rhaid mynd adref cyn iddi nosi – rhag ofn y byddai ei filwyr yn dod. Yr adeg honno, byddai'r cloc yn cael ei droi ymlaen ddwy awr yn yr haf oherwydd y rhyfel, felly roedd hi'n nosi'n gynnar.

Mae gennyf gof am y cyfnod hwn ar y fferm yn yr haf adeg cywain gwair a llafur, a'r gwragedd yn dod i'r cae â bwyd, llond stên o de, brechdanau, cacennau a seidr. Roedd y bwyd yn blasu'n well oherwydd aroglau'r gwair a'r llafur, a min yr awel yn rhoi mwy o archwaeth a thipyn o awch amdano. Byddai cymdogion yn dod i helpu gyda'r gwaith, fel pe bai'n haws ei wneud yn un cwmni llon. Ar ôl gwaith y dydd byddem i gyd yn cael gwahoddiad i fynd i'r tŷ am swper mawr. Roedd y sgwrs yn troi'n aml o gwmpas y capel, y Beibl a phregethwyr da. Dyna oedd ffynhonnell eu hysbrydoliaeth a'u ffordd o fyw. Byddai ambell stori leol hefyd yn cael ei hadrodd, wrth gwrs, ac ambell storïwr yn ymestyn tipyn ar ei stori er mwyn ei gwneud yn fwy diddorol ac er mwyn cael gwell gwrandawiad.

Byddwn yn treulio llawer o amser pan oeddwn yn grwt ar fferm oedd ochr draw'r hewl, lled cae bach o'n tŷ ni. Roeddwn wrth fy modd yng nghwmni Vincent a Nan Thomas, yn eu helpu boed haf neu aeaf, i wneud pa beth bynnag oedd eisiau'i wneud ar y fferm. Ac wrth gwrs, roedd yr arian poced roeddwn yn ei ennill yn fy ngalluogi i fynd i'r *second house* yn sinema Cross Hands ar nos Sadwrn.

Nid oedd pibau dŵr y Cyngor wedi cyrraedd Pen-twyn a byddai'n rhaid i ni gario dŵr mewn bwcedi o ffynnon yr Allt a oedd bron chwarter milltir i ffwrdd. Ond dyma'r dŵr gorau a brofais erioed oherwydd ei fod yn tarddu o'r graig ac roedd mor glir â'r grisial ac yn rhyfeddol o oer.

Doedd dim llawer o drafnidiaeth ar hewl Pen-twyn bryd hynny, ond roedd y pobydd, y cigydd a fan olew Pegler yn galw bob wythnos. Galwai Sioni Winwns o Lydaw hefyd ar ei feic, gwisgai gap beret ar ei ben, a medrai siarad Cymraeg ag acen arbennig. Weithiau byddai sipsiwn a'i geffyl lliwgar yn aros yn ei garafán gerllaw, a byddai ei wraig yn mynd o dŷ i dŷ i werthu pegs gan obeithio dweud eich ffortiwn dim ond i chi groesi ei llaw â darn arian.

Byddai ambell drempyn yn dod hefyd o bryd i'w gilydd, ar ei ffordd o'r wyrcws yn Llanelli i'r un oedd yn Llandeilo. Yn hytrach na mynd o amgylch Tymbl, byddent yn byrhau'r daith gan fynd o Lan-non drwy Ben-twyn i lawr i Cross Hands. Byddent yn galw wrth y drws am rywbeth i'w fwyta ac am gwpaned o de. Yn y gaeaf cysgent yn y sied wair gan daenu'r gwair drostynt er mwyn cadw'n gynnes.

Cofiaf pan oeddwn yn dair ar ddeg mlwydd oed i mi ddechrau yn y Coleg Technegol yn Rhydaman, ac i mi golli dau fis cynta'r flwyddyn honno oherwydd eira mawr 1947. Roedd y lluwchfeydd yn cuddio perthi, a chollwyd miloedd o ddefaid trwy'r wlad. Cofiaf fel roedd pibellau dŵr wedi rhewi'n gorn. Dywed y gwybodusion mai'r gaeaf hwnnw oedd y gwaethaf y ganrif honno.

Gallaf gofio hefyd orfod cerdded i lawr i Cross Hands i geisio cael bwyd, gan fynd â sach gyda fi er mwyn dod yn ôl â digon o fara. Drwy drugaredd nid oedd bara wedi cael ei ddogni, a chofiaf mai pris torth fawr oedd wyth ceiniog bryd hynny. Oedd, yr oedd pethau'n brin hyd yn oed wedi i'r rhyfel ddod i ben, ac yr oeddem ni fel teulu, fel llawer teulu arall, yn methu talu swm y ddyled yn siop Aubrey's gyda Mrs Rees, a byddai'r ddyled yn cael ei chario ymlaen o wythnos i wythnos nes y deuai amgylchiadau gwell.

Mae gan bob ardal ei harwyr a'i phobl enwog. Clywais lawer o sôn gan y genhedlaeth hŷn ym Mhen-twyn am y Parchedig William

Jones. Roedd ei gorff lluniaidd a'i lais melodaidd, ei ddull dramatig o bregethu, gyda'i ddelweddau byw, gafaelgar, wedi cael effaith ddofn ar ei wrandawyr. Clywais ddarnau o'i bregethau a oedd wedi aros ar gof rhai o hen bobl Pen-twyn flynyddoedd ar ôl iddo farw. Cafodd ei eni ym Mhant-y-ddeuddwr ar waelod tyle Pen-twyn, hanner milltir o sgwâr Cross Hands, ar hen Hewl Abertawe. Pregethodd trwy Gymru benbaladr gyda *celebrities* mwyaf ei gyfnod. Bu farw ym 1931 ac fe'i claddwyd ym mynwent Pen-twyn; daeth tua 3,000 o bobl o bob rhan o'r wlad i'r twyn i dalu'r gymwynas olaf. O ran diddordeb, yr oedd yn hen dad-cu i Huw Llewelyn Davies, sylwebydd rygbi'r BBC a chyflwynydd *Dechrau Canu Dechrau Canmol* am flynyddoedd.

Heb fod ymhell o wal y capel y mae bedd John Evans, un arall o dywysogion y pulpud Cymraeg a fu'n pregethu i'r miloedd tua chanrif cyn William Jones. Mae Saeson wedi prynu'r capel bellach ac nid ydynt yn or-awyddus i hwyluso'r ffordd at ei fedd ac amlygu parch at un o fawrion y genedl yn yr oes a fu. Yma, hefyd, y claddwyd y Parchedig John Griffiths, hen weinidog y teulu ar ddechrau'r ganrif ddiwethaf, a gododd dri gweinidog i'r weinidogaeth: Victor Griffiths, Llangadog, Peter Hughes Griffiths, Charing Cross, Llundain, a Benjamin Griffiths, Cynwyl Elfed. Ac yma hefyd y mae bedd y Parchedig Lodwig Lewis o Gorslas, sef tad Saunders Lewis. Nid oes neb yn cofio a ddaeth ei fab disglair gydag ef erioed i Ben-twyn.

Carwn ddwyn y bennod hon i ben drwy sôn am gawr o feddyliwr a gerddodd lwybrau'r fro pan oedd yn fyfyriwr yn academi Pen-twyn, ger Llan-non, sef Richard Price. Dywed yr Athro John Davies yn ei lyfr, *Hanes Cymru*, mai Richard Price oedd y Cymro mwyaf galluog a welodd Cymru erioed yn ei hanes, ac y mae hynny yn ddweud go fawr. Amlygodd ei hun fel mathemategydd ac fe osododd sylfaen gadarn i feysydd yswiriant ac actwriaeth ym Mhrydain Fawr. Bu hefyd yn gynghorydd i William Pitt, a fu'n Brif Weinidog Prydain. Daeth Price yn fyd-enwog fel athronydd gwleidyddol drwy amddiffyn gwrthryfel America yn erbyn Prydain, a chafodd gyfle i ddylanwadu'n drwm ar ei chyfansoddiad newydd fel gwlad. Yr hyn sy'n arwyddocaol o ran ei hanes yn y llyfr bach hwn yw ei fod wedi treulio pedair blynedd yn academi Samuel Jones ym Mhen-twyn, yn astudio'r clasuron a phynciau diwinyddol ei ddydd.

Bûm i fyny i fferm Pen-twyn ger Llan-non yn ddiweddar i edrych am yr hen academi hon. Saif yr adeilad o hyd. Uwchben y drws y mae carreg, ac wedi ei gerfio arni y mae llun mynach a'r dyddiad 1727. Nid oedd y perchennog presennol yn gwybod dim am hanes y lle; adeilad bychan ydyw lle y cedwir lloi erbyn hyn. Nid ydym fel cenedl yn diolch digon am gyfraniad yr hen academi i fywyd addysgol, crefyddol a chymdeithasol ein cyndeidiau, ac am athrawon galluog fel Samuel Jones yn ei ddydd. Pwy fuasai wedi meddwl y pryd hwnnw y byddai brefiad Richard Price, un o'i fyfyrwyr mwyaf disglair, wedi atseinio o Ben-twyn hyd bellafoedd daear?

TALCEN CALED Y LOFA

Dechreuais weithio yn y lofa tua diwedd 1948. Bu'r flwyddyn flaenorol yn hanesyddol bwysig yn y diwydiant glofaol ym Mhrydain. Er bod bwyd a dillad yn dal yn brin ac yn cael eu dogni o ganlyniad i'r rhyfel a dyled affwysol y wlad, fe ddaeth y 'Marshall Plan' o America i achub rhywfaint ar y sefyllfa gan roi cymorth sylfaenol i'r economi. Sefydlwyd y Bwrdd Glo Cenedlaethol gan y Llywodraeth Lafur, ac ar bob pwll glo bellach gwelwyd yr hysbysiad:

> *THIS COLLIERY IS NOW MANAGED*
> *BY THE NATIONAL COAL BOARD*
> *ON BEHALF OF THE PEOPLE*

Credwyd fod hyn yn gam ymlaen tuag at leihau'r rhagfarnau a'r tensiynau a fodolai gynt rhwng yr hen feistri a'r gweithwyr ac a fu'n achos cymaint o ddrwgdeimlad a therfysgoedd yn y gorffennol.

Roeddwn wedi cael ar ddeall cyn dechrau yn y lofa bod y diwydiant glo wedi bod yn hanfodol bwysig o ran gwthio'r chwyldro diwydiannol yn ei flaen. Glo wrth gwrs oedd yr ynni a ddefnyddid yn oes Victoria i yrru peiriannau'r diwydiannau trymion, yn ogystal â'r trenau a'r llongau.

Roedd y gweithfeydd glo yn denu pobl o bob man i weithio ynddynt, a chanlyniad hynny oedd bod cymunedau newydd yn cael eu ffurfio. Tyfodd y cymunedau hyn yn rhai clòs a chynnes iawn, yn rhannol efallai o ganlyniad i'r peryglon a'r tlodi a wynebai eu trigolion yn ddyddiol a'r damweiniau a'r galaru a oedd yn gymaint rhan o'u bywyd. Daeth pobl ddŵad y cymunedau hyn â'u crefydd a'u henwadaeth eu hunain gyda hwy ac adeiladwyd capeli enwadol yn y cymdogaethau newydd. Roedd gan bob capel ei weinidog ei hun a'i Gymdeithas Ddiwylliadol, ac yn aml ffurfiwyd corau a chwmnïau drama.

Un o'r pethau cyntaf a welwn wrth edrych tua'r de o'n tŷ ni ym Mhen-twyn oedd tipiau gwaith glo Cross Hands a'r Emlyn, a gwyddem fod nifer o dipiau eraill gerllaw yn llechu o'r golwg. Nid oes rhyfedd felly i'r 'Sowth' gael ei alw yn wlad y Pyramidiau.

Roedd glo wedi brigo yng nghwm Gwendraeth, ac yr oedd cloddio am lo wedi digwydd yma ers canrifoedd. Fodd bynnag, ar y dechrau nid oedd hi'n bosibl cloddio'n is na lefel y dŵr a oedd yn rhedeg i mewn i'r gwythiennau. Ond pan ddarganfu James Watt bŵer yr ager, gwelwyd bod modd pwmpio'r dŵr i fyny, a dyna mewn gwirionedd oedd dechrau'r fasnach lo fyd-eang. Agorwyd gwaith glo'r Mynydd Mawr tua 1887. Yng nghwm Gwendraeth, fel mewn rhai mannau eraill yng Nghymru, y cafwyd y glo gorau yn y byd, a'r enw arno oedd y *black diamond* oherwydd ei fod yn lo caled tu hwnt a'i fod yn disgleirio. Byddai'r glo hwn yn llosgi'n hir iawn. Gwelwyd adeiladu hewlydd a rheilffyrdd newydd hefyd i gario'r tryciau glo, a chyda throad y bedwaredd ganrif ar bymtheg adeiladwyd nifer o reilffyrdd i gario glo i'r dociau yn Y Barri, Caerdydd a Chasnewydd.

Dyna'n fras oedd y cefndir pan es i weld rheolwr glofa'r Tymbl i chwilio am waith. Nid oedd fy rhieni'n fodlon o gwbl i mi gael trowsus *moleskin*, bocs bwyd a jac i gadw dŵr, oherwydd gwyddent cystal â neb am hanes peryglus y gweithfeydd glo. Ond cefais waith yn y Tymbl a bu'n rhaid i mi fynd am dri mis ar gwrs hyfforddiant y 'Bevin Scheme', gan ddechrau yn y New Dynant, Cwm Mawr, sef gwaith bach rhyw filltir lawr yr hewl i gyfeiriad Dre-fach.

Profiad gwerthfawr oedd cael ein haddysgu fel hyn ar y banc cyn mynd lawr i'r tywyllwch dudew dan-ddaear. Cofiaf yn dda mai'r cyfan oedd ar fy meddwl wrth fynd ar y sbêc i grombil y ddaear am y tro cyntaf, a cherdded ymlaen tuag at y talcen glo, oedd sut yn y byd y gallwn fynd lan o'r fan honno petai'r top yn dod i lawr? Seriwyd hyn ar fy meddwl, mae'n rhaid, gan i mi gael breuddwydion cas ar ôl dechrau gweithio dan-ddaear. Breuddwydiwn yn aml fod y nenfwd yn f'ystafell wely yn disgyn ar fy mhen ac roedd y profiad mor ofnadwy nes y bu'n rhaid i'r teulu ddod i'm hystafell un nos a'm dihuno, gan fy mod yn sefyll ar fy ngwely yn un foddfa o chwys yn dal y nenfwd i fyny.

Er mor ddieithr oedd y lofa, deuthum yn raddol gyfarwydd â'r sefyllfa a'r amgylchiadau dan-ddaear. Yr aroglau amhleserus yn yr aer, y dŵr a oedd yn cronni o dan draed, a gweld y pyst wedi'u naddu'n grefftus yn dal y top i fyny. Byddwn yn aml yn meddwl am amgylchiadau'r rhai a weithiai dan-ddaear ganrif ynghynt. Meddwl mor llac oedd y rheolau diogelwch, mor llwm a thlawd oedd y bobl fel ei bod yn rhaid i hyd yn oed famau beichiog weithio dan-ddaear yn tynnu certi llusg â rhaff am eu canol. Ym 1850, bron ganrif union cyn fy amser i yn y pyllau glo, byddai hyd yn oed blant yn codi am bedwar o'r gloch y bore ac yn gweithio am saith ceiniog y dydd, heb weld golau dydd o gwbl yn y gaeaf.

Mae'r Athro Hywel Teifi Edwards yn dweud yn ei lyfr godidog, *Arwr Glew Erwau'r Glo*, i 5,000 o lowyr gael eu lladd yn ystod y cyfnod rhwng 1898-1914, ac i dros 400,000 o ddamweiniau ddigwydd yn y diwydiant glo yn Ne Cymru! O ganlyniad i'r ffeithiau a'r ystadegau hyn, erbyn i mi ymuno â'r gwaith glo ym 1948 roedd llawer o wersi wedi'u dysgu, ond ar draul bywydau llawer gormod o goliers.

Er i ni gael bywyd cymharol hawdd wrth ddysgu yn New Dynant, byddai tipyn o lwch du arnom ar ddiwedd y dydd wedi llanw sawl dram o lo. Braf, wedyn, oedd cael dod i fyny i'r wyneb a gweld yr haul a chael anadlu awyr iach. Yna, byddwn yn dal bws i Cross Hands cyn cerdded i fyny tyle Pen-twyn yn fy nillad brwnt. Byddai mam bob amser yn gofalu bod dŵr poeth yn y badell sinc o flaen y tân a digon o sebon wrth law, a chyn bo hir byddwn yn teimlo fel dyn newydd.

Wedi tri mis o brentisiaeth, dechreuais weithio yng ngwaith glo'r Mynydd Mawr. Roedd yn rhaid codi am bump o'r gloch y bore a cherdded lawr i Cross Hands er mwyn dal bws y Western Welsh am chwech o'r gloch i'r gwaith. Roedd dros 1,100 yn gweithio yno yn y pum-degau. Teimlwn yn llawen yn mynd i'r gwaith hwn, oherwydd byddwn yn mynd yno mewn dillad glân, yn hytrach na rhai brwnt.

Roedd baddon a gwres canolog yn y lle, a chantîn hefyd. Ymfalchïai'r colier o gael y cyfleusterau hyn oherwydd roedd hi'n gred ar un adeg nad oedd neb yn deilwng o barch oni bai ei fod yn gweithio mewn dillad glân. Ond os brwnt oedd dillad gwaith y colier, gwyddai ei deulu ei fod yn weithiwr gonest a'i fod yn haeddu pob ceiniog o'i gyflog. Yn wir, dywedodd un cyflogwr, 'Gallwch chi brynu amser pobl ond allwch chi ddim prynu gonestrwydd, pa wisg bynnag sydd amdanynt.'

Roedd yn hyfryd cael cerdded mewn i'r baddon yn y bore a gadael y dillad glân ar un pen a rhoi'r rhai brwnt y pen arall. Byddwn yn cerdded i'r *lamproom* wedyn ac yn rhoi fy narn pres a'm rhif arno ar fachyn ar y wal fel bod y swyddogion yn gwybod fy mod wedi mynd lawr dan-ddaear. Wedi gorffen y sifft byddwn yn rhoi'r darn pres yn ôl yn y bocs fel bod y swyddogion yn gwybod fy mod wedi dychwelyd yn ddiogel.

Cofiaf ddechrau ar sifft fore yn y drifft newydd. Roedd yn rhaid bod ar y sbêc yn gynnar er mwyn cael ein gollwng i lawr rhyw hanner milltir. Roedd yn arferiad gan rai o'r swyddogion i archwilio'n pocedi am fatsis rhag ofn i ni achosi tanchwa.

Bûm yn ffodus iawn i gael gweithio gyda Jack John o ardal y Preseli. Dyn trwm, sgwâr ydoedd, a'i ben yn foel. Roedd Jack yn ddarllenwr mawr ond nid oedd ganddo unrhyw gydymdeimlad â chrefydd o gwbl. Dywedodd wrthyf fod ei rieni wedi'i anfon i weithio ar fferm gyfagos i'w gartref ar lechwedd y Preseli pan adawodd yr ysgol. Byddai'n rhaid iddo ef a'r forwyn fynd i'r oedfa yn y capel ar fore Sul, ond fe fyddai'r meistr, a oedd yn ddiacon, a'i wraig, yn mynd i'r cwrdd nos. Cofiaf Jack yn adrodd yr hanes wrthyf amdano ef a'r forwyn, rhyw nos Sul, gan eu bod ar fin llwgu, yn penderfynu mynd i'r pantri i gael *good feed*: 'Ond roedd drws y pantri wedi ei gloi, a dyna oedd diwedd y fferm a chrefydd i mi', meddai. Ymunodd Jack â'r blaid gomiwnyddol ac fe ddaeth i ardal ddiwydiannol y Tymbl ac ennill parch ei gydweithwyr, a'i ddyrchafu'n arweinydd ac yn is-gadeirydd Undeb y Glowyr yn eu plith. Dywedodd Jack ei fod wedi darllen llawer am y frwydr rhwng y meistri a'r gweithwyr a'r streiciau mynych.

Dreifio lefel ymlaen roedd Jac yn gwneud pan oeddwn i gydag e, a llanw ambell ddram o lo o'r ffas. Roedd nifer ohonom a adwaenid fel 'Bevin Boys' yn dal i ennill profiad gyda'n gilydd. Un o'r bechgyn hyn oedd Mel Griffiths o Gors-las a oedd yn asgellwr i glwb rygbi Llanelli ar y pryd, ond a ymunodd â'r heddlu yn ddiweddarach. Byddem yn chwarae llawer o driciau ar ein gilydd. Cofiaf fy mod wedi rhoi fy llaw ym mhoced fy nghot fawr amser bwyd un diwrnod, ac yn ddiarwybod i mi roedd y bechgyn wedi dal llygoden fyw a'i rhoi yn y boced, a dyna a gefais yn fy llaw yn hytrach na brechdan. Fel y gellwch ddychmygu roedd llawer iawn o dynnu coes a hwyl a sbri yn ein mysg, yn enwedig ar amser prydau bwyd.

Gyda llaw, adeiladodd cwmni glo'r Tymbl stryd o dai, sef High Street, gerllaw'r lofa. Roedd teulu'r Mills – teulu o 22 o blant yn byw yn un ohonynt. Roedd nifer o'r teulu lluosog hwn yn gweithio gyda ni yn y lofa. Rhyfedd sut yr oeddent yn medru ymdopi â byw mewn tŷ dwy ystafell i lawr a dwy i fyny. Roedd y tŷ bach ar waelod yr ardd, yn ôl arfer y cyfnod. Cofiaf i'r tai hyn fod ar werth gan y Bwrdd Glo am £300 yr un y dyddiau hynny.

Roedd llawer o sôn yn ein teulu ni am streic fawr 1926, a'r modd y dibynnwyd llawer ar y *soup kitchens* yn yr ysgolion. Gwelwyd llawer o ddynion yn y cyfnod hwnnw yn dringo'r tip i chwilio am ddarnau o lo ymhlith y wast er mwyn cael rhywfaint o wres yn y gaeaf. Aeth wncwl Isaac, brawd fy nhad, allan i Awstralia fel eraill yn yr ardal i chwilio am waith. Trefnwyd taith gerdded fawr i Lundain, hefyd, er mwyn apelio am well telerau i'r glowyr gan y llywodraeth, ond ni ddaeth unrhyw dda o hynny yn y diwedd. Bu Miss Margaret Greenstock, sy'n aelod yn eglwys Shiloh, Llanbed, yn gweithio am flynyddoedd yn swyddfa'r Dean Colliery yn Aberaman. Mae hi'n cofio'n dda am y symiau roedd hi'n talu i'r gweithwyr ar ddechrau'r Ail Ryfel Byd ar ran y cwmni. Dyma'r graddau cyflog wythnosol yn y Rhondda Fawr y dyddiau hynny: labrwr, £1.95; gyrrwr peiriant weindio, £2.00; *shot man* £2.45; *fireman* £3.75; *overman* £5.00. Byddai'r rheolwr a'r is-reolwr yn cael eu talu'n fisol o Gaerdydd. Roedd symiau gorfodol yn cael eu tynnu allan o'r cyflog wythnosol hwn, sef stamp ar gyfer y di-waith, un swllt;

yswiriant, deg ceiniog; Ysbyty Aberdâr, chwe cheiniog; meddyg, tair ceiniog. Yna roedd taliadau gwirfoddol i'w gwneud. Roedd un geiniog allan o bob punt yn mynd i neuadd y pentref a'r llyfrgell, a dwy geiniog yn mynd at waith cymdeithasol ac at y cae rygbi a bowls. Yng nghwm Gwendraeth ar ddechrau'r rhyfel byddai'r rhai nad oedd yn torri glo yn cael £2.42 yr wythnos, a byddai'r rhai a oedd yn torri glo glân yn cael hanner coron y dunnell. Roedd safbwynt yr eglwys yn y cyfnod hwnnw'n ddiddorol. Credai ei bod yn werth dioddef caledi'r byd hwn er mwyn gogoniant y byd a ddaw. Ond nid oedd pob colier yn credu hynny. Canodd J. J. Williams,

> Dyw Dai yn licio dim yn y capel nawr,
> Ond ambell i bregeth ar gyflog a thai.

Daeth bri mawr ar addysg a gwleidyddiaeth fel cyfryngau i wella cyflwr tymhorol dyn, a mawr y trafod arnynt yn y lofa. Ond nid oedd crefydd yn bwnc dadlau dan-ddaear ac ni roddid cymaint o fri ar y Gymraeg a diwylliant chwaith fel y gwneid ar ddiwedd y bedwaredd ganrif ar bymtheg yn ôl yr hanesydd, yr Athro Hywel Teifi Edwards.

Er bod nifer o bobl yn ddarllenwyr, dim ond ychydig a welais yn ymddiddori mewn llenyddiaeth yn fy nghyfnod i. Clywais am rai yn y pumdegau'n ymddiddori yng ngwaith Niclas y Glais, y gweinidog a'r comiwnydd, ac yng ngwaith Islwyn Ffowc Elis, mewn llyfrau megis *Cysgod y Cryman*. Yn ddiweddarach, fodd bynnag, siarad am y clwb pŵls, y clwb rygbi a phêl-droed oedd yn boblogaidd. Roedd nifer o'r dynion hyn yn alluog, ac fe allent fod wedi mynd ymhell petaent wedi cael y cyfle. Roedd rhyw ddynoliaeth braf yn perthyn iddynt, ac yr oeddent yn driw iawn i'w gilydd. Anodd fyddai cael gwell partneriaeth gwaith yn un man nag yn y lofa, a hynny, o bosib, oherwydd bod y peryglon yn tynnu pobl yn agosach at ei gilydd.

Daeth tymor fy hyfforddiant fel 'Bevin Boy' i ben ac anfonwyd fi i weithio yn yr Hen Ddrifft a oedd tipyn yn ddyfnach. Yno, roedd tri pheiriant weindio yn ein gadael i lawr. Roedd yn rhaid newid sbêc dair gwaith a byddai pob taith i lawr i'r gwaelod yn hanner milltir o hyd. Wedi cyrraedd y gwaelod roedd yn rhaid cerdded ychydig gannoedd o lathenni cyn dod i ffas y wythïen fawr, fel y'i gelwid. Yno, roedd hyd at 18 troedfedd o uchder o lo. Yr enw priodol iawn ar y lle hwnnw oedd Burma, oherwydd roedd hi mor boeth yno bob amser gan ein bod mor bell o wyneb y ddaear a'r aer yn brin. Roeddwn yn chwysu'n ddifrifol wrth wneud y pethau lleiaf. Weithiau, ni allwn ddioddef dillad amdanaf, dim ond sgidiau am y traed, wrth glirio cwymp.

Roedd y Burma hwn ymhell i lawr tuag at gyfeiriad Llan-non, y pentref agosaf at y Tymbl. Slafai'r gweithwyr yno nes eu bod yn chwys diferol, tra rhuai'r teithwyr a'r traffig uwch eu pen heb iddynt ystyried cymaint y gost i'r glöwr er mwyn iddynt hwy allu mwynhau noson gynnes wrth y tân yn y gaeaf. Peth arall a oedd yn nodweddiadol o Burma oedd y llwch difrifol hefyd a oedd yn drwch o dan ein traed, a'r effaith a gâi ar anadlu'r gweithwyr. Meddai Gwenallt am lwch y lofa yn ei gerdd 'Dwst y Garreg':

> Ni ellir dianc yn y De rhag yr hollbresennol beswch
>   Mewn neuadd, addoldy a chae;
> Yn gymysg â chanu, chwarae a chwrw
>   Bydd y diwyd diwydiannol wae.
>
> . . . Mae naws y llwydrew a gwynt y dwyrain
>   Yn tagu'r fegin yn lân;
> Y gorweiddiog yn dugochi'r gobennydd
>   A'r canol-oed yn hen wrth y tân.

Dolur rhy gyffredin oedd gweld glowyr llwyd eu hwynebau a phrin eu hanadl yn llusgo byw yn ymyl bedd. Pan ddeuai'r silindr ocsigen i'r tŷ, gwyddent fod y diwedd yn agos ac mai dim ond rhyw chwe wythnos oedd ganddynt ar ôl i fyw. Roedd y farwolaeth galed yn rhyddhad rhag beichiau'r cnawd yn y diwedd. Mae cerrig beddau mynwentydd yr ardal yn tystio bod llawer wedi marw'n ifanc, rhai yn eu tridegau a rhai hyd yn oed yn eu dauddegau. Ychydig a feddyliais y pryd hwnnw y byddwn yn mynd i angladd rhai o'm cyfeillion ym mynwent Tymbl Uchaf, sydd uwchben yr union le yr oeddem yn gweithio ar un adeg. Mor briodol yw'r geiriau ar y gatiau, 'I Arwyr Glew Erwau'r Glo'. Anodd oedd deall bod cynifer yn cwyno bod glo yn ddrud i'w brynu o gofio'r gost mewn gwirionedd i'r sawl a dalai'r pris eithaf. Dywed yr Athro Hywel Teifi Edwards yn ei lyfr, *Arwr Glew Erwau'r Glo*, bod Tilsley, a oedd ar y pryd yn weinidog gyda'r Wesleaid yn Aberdâr, yn edmygu'r glöwr a'i fod wedi mynegi parch a chydymdeimlad y beirdd tuag ato mewn englynion fel y rhain:

> Erwau'r glo dan loriau'r glyn – yw ei le,
>   Gyda'i lamp a'i erfyn;
> I'w ddu gell ni ddaw dydd gwyn,
> Ni ddaw haul yno i'w ddilyn.

> . . . Llwyd arwr rhynllyd werin, – onid ef
>   A rydd dân i'w chegin?
> Ond gyrrwyd gan fyd gerwin,
> A gwobr ei waith cyflog brin.

> . . . A diau, pan ddistawo – ni welir
>   Y miloedd yn mwrnio;
> Ond daw pedwar i gario
> Gŵr y graith i gwr y gro.

Gydag amser gwellodd amgylchiadau'r glöwr a daeth technoleg i hwyluso'r gwaith. Cefais waith ar un adeg fel *fitter* yn lefel 5, gwythïen y braslyd, ac felly, roeddwn yn gweithio'n agosach i'r wyneb. Dim ond dwy droedfedd a hanner o uchder oedd yno ac roedd hi'n anodd i ddyn tal fel fi lusgo fy hun ar hyd y ffas lo a gosod pibell ddŵr i lawr yn ymyl y cludydd. Roedd y llwch mor drwchus pan fyddai'r glo yn cael ei dorri a'i lanw i'r dramiau fel na allech weld eich llaw o'ch blaen. Yn anffodus, cefais ddamwain yr adeg yma a gorfu i mi gael fy nghario allan ar stretsier, gan iddynt dybio fy mod wedi torri fy asgwrn cefn. Aethpwyd â mi i Ysbyty Treforys ac yno y bûm am wythnos er nad oedd pethau cynddrwg ag yr ofnwyd.

Dim ond y rheolwr a'r is-reolwr oedd yn cael eu galw wrth eu henw a'u cyfenw. Wrth deitl ei swydd yr adwaenid pawb arall yn y lofa: er enghraifft, Jack yr Hitcher, Bryn Mecanic, Wil y Gof, Dai Rhaffau, Sam yr Ostler, Harry Lampman. Roedd rhai dynion wedi dod o Sir Aberteifi i weithio yn y Tymbl, ac fe fyddent yn aros ac yn cael lletu gyda theuluoedd y pentref yn ystod yr wythnos. Soniodd Walford Jones wrthyf am James Williams, a fyddai'n mynd adref ar y penwythnosau ac yna'n dychwelyd ar fore dydd Llun erbyn y sifft brynhawn. Byddai'n dychwelyd i'r Tymbl gyda digon o dato a moron am yr wythnos ganlynol, a gofalai ddod â darn o ham ar yr asgwrn weithiau, ac oherwydd hynny fe gafodd yr enw Jim Hambone.

Cofiaf sôn am frawd o'r enw David yn dod i chwilio am waith yn un o'r glofeydd, a dywedodd wrth y bechgyn ar ei ddiwrnod cyntaf, 'Bois, rwy'n gwbod eich bod yn mynd i roi ffugenw arna i, ond gofalwch alw rhwbeth substansial arna i' – ac ie, Dai Substansial y cafodd ei alw byth wedyn. Mae cof gennyf am un gweithiwr arall yn dod lawr dan-ddaear am y tro cyntaf, a phan welodd y fath le oedd yno cafodd fraw a gwaeddodd, 'Mam fach!' a Jack Mam cafodd yntau ei alw wedi hynny.

Clywais gan fy mrawd, Cecil, ei bod hi'n arferiad yng ngwaith glo Cross Hands, lle'r oedd fy nhad a'i frodyr yn ennill eu bywoliaeth, i alw dynion yn ôl enwau'r llefydd lle cawsent eu magu neu yn ôl nodweddion eu cymeriad neu enwau eu perthnasau. Felly fe gaech, er enghraifft, Ben Abercych, Aneirin Coch, Tomi Goginan, Dai Beto a Dai Baw. Clywais am Wil *double yolk*, oherwydd ei fod yn dad i efeilliaid, a Wil *fish fingers* oherwydd iddo golli rhai o'i fysedd wrth bysgota â phowdwr ffrwydrol.

Roedd y rhan fwyaf o'r gweithwyr yn cael eu talu yn ôl y dydd, ond yr oedd y rhai a weithiai ar y ffas yn cael eu talu yn ôl sawl tunnell a lanwent. Ar un adeg byddai'r glowyr yn ysgrifennu eu henwau ar ochr y ddram fel bod y pwyswyr ar y banc yn gwybod pwy oedd wedi llenwi'r dramiau. Cofiaf ryw dro i rywun ysgrifennu ar y wal uwchben y drifft, 'The wages of sin is death,' ac i ryw wag arall ysgrifennu oddi tano, 'but the wages of this colliery is a damn sight worse!' Roedd bob amser digon o hiwmor a chwerthin yn ein plith.

Parc Busnes Cross Hands fel y'i gwelir o Ben-twyn

Pen-twyn Cottage

Capel Pen-twyn

Fy nhad, pan oedd yn y gwarchodlu
Cymreig adeg rhyfel 1914-18

Fy nghar cyntaf

Mam gyda Jean a'r efeilliaid Elvet a
Glyn

Gyda Anti Get yn yr ardd ym Mhen-twyn

Cadw ieir – 1949

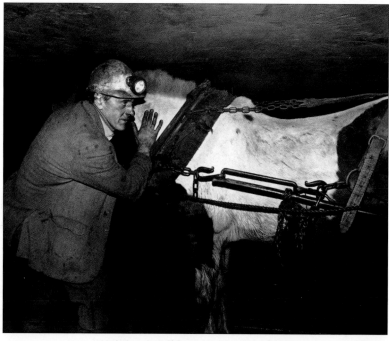

Yr halier a'r ceffyl yn gweithio dan-ddaear

Gwaith glo'r Mynydd Mawr yn y Tymbl

Fy mrawd, Cecil, ym maddonau glofa Cross Hands adeg streic y glowyr, 1984-85

Y lamp Davy a achubodd fy mywyd ym 1952

Edrych i lawr ar High Street y Tymbl

Tumble Hotel

Gatiau mynwent Tymbl Uchaf lle mae nifer o'r rhai a fu'n cydweithio â mi wedi'u claddu uwchben yr hen wythiennau glo

Pob chwe wythnos byddem i gyd yn cael bron tunnell o lo, a dim ond cost y lorri i gludo'r llwyth i'n tŷ y byddai'n rhaid i ni ei dalu. Roedd llawer iawn o goed yn cael eu defnyddio dan-ddaear i ddal y top i fyny, ac yn aml byddai'r dynion yn llifio darn o bren i fynd adref gyda hwy er mwyn cynnau tân yn eu cartrefi yn y boreau. Wrth gwrs, ni roid caniatâd i wneud hynny a byddai'r dynion yn cuddio'r pren o dan eu cotiau mawr wrth adael y gwaith. Weithiau, wrth aros tu allan i'r Tumble Hotel am y bws i fynd adref, byddai'r plismon a oedd yn llwyr ymwybodol o'r sefyllfa yn camu ymlaen at y gweithwyr ac yn taro'u brest a dweud, 'Bachan, rwyt ti'n ddyn caled,' ond ni fyddai neb byth yn cael gwŷs. Byddai nifer yn rhoi cildwrn bach i'w partneriaid cynorthwyol ar ôl codi cyflog yn y swyddfa, ac yn yfed peint cyn bod y bws yn dod.

Un peth sydd wedi aros ym meddyliau nifer ohonom yw'r cof o weld ffosil rhedyn neu bysgodyn, a hwnnw'n berffaith, lawr yng nghrombil y ddaear, yn hollol fel ag yr oedd filiynau o flynyddoedd yn ôl.

Bûm yn ffodus iawn o dan gynllun y Bwrdd Glo Cenedlaethol i gael diwrnod i ffwrdd o'r gwaith bob wythnos er mwyn mynd i'r coleg yn Rhydaman i ddilyn cwrs Peirianneg ar fwyngloddio. Roeddwn wedi bod yn y coleg o'r blaen am dair blynedd ac felly roedd yr athrawon yn adnabyddus i mi. Byddai bechgyn o byllau glo eraill yn cael eu rhyddhau am ddiwrnod, hefyd, i ddilyn cyrsiau tebyg. Yno y cwrddais â Terry Adams o waith glo Cross Hands. Daethom yn ffrindiau agos a sefydlwyd cyfeillgarwch oes rhyngom, fel y caf sôn eto.

Roedd rhai o'r athrawon wedi cael profiad o weithio yn y lofa cyn cael coleg a'u penodi'n athrawon. Roedd David Davies, yr athro daeareg, yn ŵr byr ei gorff a'i wallt yn wyn fel yr eira, a phwysleisiai'n gyson mai'r perygl mwyaf o ran iechyd dan-ddaear oedd yr adeg pan ddefnyddid powdwr i danio twll er mwyn rhyddhau'r garreg neu'r glo. Dywedai dro ar ôl tro, 'Cofiwch fod amonia yn y powdwr ac mae hwnnw'n parlysu eich ysgyfaint'.

Cofiaf weithio ar y sifft nos rhyw dro, a chan nad oedd y

peiriannau'n gweithio a neb ar y ffas lo, fe'n trawyd fel gweithwyr, bod gan y gwaith ei fywyd ei hun lawr yng nghrombil y ddaear. Gallem glywed nifer o bethau ar waith, megis y coed a oedd yn dal y nenfwd i fyny yn cracio oherwydd y pwysau oedd arnynt. Roedd y cread fel petai'n siarad iaith wahanol rhwng tri a phump o'r gloch y bore. Dywedodd rhyw fardd, 'The night has a thousand eyes, and the day but one'. Gwelais a phrofais innau'r noson honno yr hyn oedd yn ei feddwl. Braf oedd cael cerdded adref y bore hwnnw o haf, pan oedd yr haul yn codi a gweld y gwlith ar y blodau a chlywed yr adar yn canu. Roedd yn dipyn o gyfnewidiad mewn amser byr iawn.

Un arall o'r peryglon mwyaf a'n hwynebai dan-ddaear oedd nwy. Roedd mor beryglus oherwydd na allem ei weld wrth reswm, ac yn aml nid oeddem yn medru ei arogli. Lladdodd filoedd o weithwyr dan-ddaear. Y danchwa fwyaf a gafwyd erioed yn y gweithfeydd glo oedd yr un yn Senghennydd ym 1913 pan gollodd 439 o ddynion eu bywydau mewn un diwrnod. Collodd ambell deulu dad a dau o feibion o ganlyniad i'r ffrwydrad. Pan fyddai nwy yn cael ei gynnau dan-ddaear, byddai'r tân yn mynd fel tornado drwy'r twnnel gan losgi popeth yn ei lwybr. Diolch byth na ddigwyddai hynny'n aml.

Gallaf gofio tanchwa ar y ffas lo mewn gwaith glo cyfagos ym Mlaenhirwaun ger Cross Hands, pan laddwyd chwech o fechgyn ac y llosgwyd nifer yn arw a'u cludo i'r Ysbyty Llosgiadau yng Nghasgwent. Roedd Desmond Phillips, a oedd yn byw ar y fferm y tu ôl i'n tŷ ni, yn eu plith. Cofiaf i'r cymdogion drefnu bws i fynd i'r ysbyty i'w weld. Bu un gŵr yr oeddwn yn ei adnabod, sef David Penington, farw ymhen ychydig wedi'r ddamwain.

Cefais brofiad arall tua'r un adeg na wnaf mo'i anghofio byth. Roedd Mr Bryant, y rheolwr, Sais o ogledd Lloegr, wedi gofyn i Harry Wardell, brawd Jack Wardell y barbwr yn Tymbl, fynd i mewn i lefel 5 ar fore dydd Sul i wneud yn siŵr bod y ffas lo yn glir o nwy cyn bod y dynion yn dod i mewn fore dydd Llun, ac fe ofynnodd Harry i mi fynd gydag ef. Roeddem wedi gofalu bod lamp Davy gyda ni. Roedd y lamp hon yn rhedeg ar olew a byddai'n dangos bod nwy yn bresennol pan ymddangosai cap glas uwchben y fflam felen. Wedi i ni gyrraedd y lle ac agor dau ddrws ffordd aer, dyma agor y trydydd drws, a dyma dynnu nwy lawr o'r ffas a ddiffoddodd y lamp ar unwaith oherwydd nad oedd ocsigen yn bresennol. Dechreuodd Harry Wardell lefen, ac meddai, 'Elwyn, this is the end. We will never make it'. Credais innau'n bendant na fyddai modd i ni fynd allan oherwydd roedd tipyn o ffordd gyda ni cyn cyrraedd diogelwch awyr iach. Roeddwn yn bedair ar bymtheg oed ar y pryd. Fflachiodd fy ngorffennol o'm blaen. Fy ymateb cyntaf oedd rhedeg nerth fy nhraed, ond ni allwn adael Harri druan ar ôl. Roedd yn ddyn 64 oed ac yr oedd yn hynod brin o anadl. Cydiais ynddo a hanner ei lusgo, gan feddwl y byddem yn syrthio ar unrhyw eiliad gan ein bod yn symud mor gyflym trwy'r tywyllwch. Trwy ryw ryfedd wyrth cyrhaeddodd y ddau ohonom ddiogelwch ar ein pengliniau; petasai'n rhaid i ni fynd ymhellach byddai wedi bod ar ben arnom. Roeddem mewn cymaint o sioc nes i ni fynd at y rheolwr, Mr Bryant, i ddweud yr hanes wrtho, ac fe agorodd ei lygaid mewn syndod. Roedd un peth da am Bryant; er ei fod yn ddyn garw ei ffordd nid oedd yn un i beryglu bywydau pobl, a dywedodd y diwrnod hwnnw, 'I don't care if not a single tram of coal comes up from this place, you see to it that the men are safe'. Mae'r hen lamp Davy yn cael lle parchus yn fy stydi bellach, ac ni fyddwn yma heddiw oni bai amdani.

Tro arall i mi osgoi angau oedd pan oeddwn yn gweithio fel partner i Wilff Robinson, gŵr abl, 46 oed o Bontyberem, a chanddo wraig a phlant. Roeddwn wedi bod yn teimlo'n sâl un noswaith, ac felly nid oeddwn wedi mynd i'r gwaith yn ôl f'arfer y diwrnod canlynol. Meddyliwch am y sioc a gefais pan ddeallais fod Wilff wedi cael ei ladd yr union ddiwrnod hwnnw.

Yn fuan wedyn, bûm yn ddigon ffodus i gael gwaith arall yn edrych ar ôl y pympiau a oedd yn pwmpio dŵr allan o ardal 5 at bwmp mawr ar waelod y drifft. Cyfaill i mi, sef Walford Jones o Gefneithin, oedd yn edrych ar ôl y tyrbin mawr a oedd yn pwmpio dŵr yn gyson i fyny i'r wyneb, ac yr oedd hwnnw yn gweithio ddydd a nos oherwydd bod cymaint o ddŵr yn dod mewn i'r lleoedd dan-ddaear.

Roedd stabl fawr gyda ni ar lefel 5 lle cedwid nifer o geffylau ar un adeg. Roedd y lle wedi ei wyngalchu ac roedd brics a choncrid ar y llawr o dan draed. Yn wir, roedd yn lle digon cyfforddus. Cefais y cyfrifoldeb o warchod ceffyl brechlyd o'r enw Freckles. Hwn oedd yr unig geffyl ar ôl bellach yn y stabl ac yr oedd mewn gwedd cadw da gan ei fod yn cael digon o siaff a cheirch, y bwyd gorau posibl, a dŵr glân. Roedd y bwyd yn tynnu llygod Ffrengig mawr iawn i'r stabl, ac roedd rhaid bod yn wyliadwrus oherwydd roeddent yn medru cario'r clefyd marwol, *Weil's Disease.* Byddem yn hongian ein bwyd yn ddigon pell o'r llawr allan o'u cyrraedd, ond byddent yn gwneud pob ymdrech i gael gafael yn y bwyd, a chollais sawl pryd, ond arnaf fi oedd y bai am nad oedd bocs gennyf. Ni welais gath yn y stabl erioed i gadw'r llygod dan reolaeth ond deallaf eu bod i'w cael mewn gweithfeydd eraill.

Deallaf fod yna gyfnod wedi bod pan oedd llawer o geffylau'n tynnu drams dan-ddaear cyn dyfodiad y peiriant weindio. Byddai ambell halier yn defnyddio'r un ceffyl am yr ail sifft mewn diwrnod, yn hytrach na dilyn y rheolau a defnyddio ceffyl gwahanol. Gwir mai ffon fesur dda i adnabod dyn yw sylwi sut mae'n trin dynion ac anifeiliaid. Dyn gwael oedd hwnnw oedd yn mynd â'r un ceffyl allan o'r stabl am yr eildro, heb roi cyfle iddo orffwys o gwbl. Do, fe laddwyd nifer o geffylau dan-ddaear, a da o beth nad oes cymaint o'u hangen bellach. 'Slawer dydd byddai dealltwriaeth dda rhwng y ceffyl a'r halier. Byddai'r halier yn aml yn mynd lawr ag afal neu dwlpyn o siwgr i'r ceffyl oherwydd eu bod yn dipyn o ffrindiau. Yn rhyfedd iawn roedd y ceffylau'n sensitif i'r peryglon o'u cwmpas. Pe digwyddai cwymp o'r nenfwd, hyd yn oed yn bell i ffwrdd, byddai'r ceffyl yn gwybod ac ni fyddai'n symud o'r fan. Cefais ar ddeall fod pobl yn ardal y Tymbl a Cross Hands yn arfer codi'n gynnar yn y bore cyn i'r wawr dorri er mwyn cael gweld ymateb y ceffylau pan fyddent yn dod i olau dydd am y tro cyntaf ers blwyddyn. Byddent yn neidio a dawnsio o gwmpas y lle megis mewn gollyngdod a llawenydd. Ond, yn naturiol, nid gwaith hawdd oedd eu dal drachefn ar ôl iddynt fwynhau'r haul a'r awyr las i fynd â nhw nôl i'r tywyllwch dudew am flwyddyn arall. Rhoddwyd enwau cadfridogion rhyfel ar geffylau'n aml – enwau megis Eisenhower a Monty.

Mae'r flwyddyn 1957 yn un bwysig iawn yn fy hanes oherwydd dyna'r flwyddyn y priodais ag Elizabeth o Gynwyl Elfed. Fi oedd yr hynaf o wyth o blant a hithau'r ieuengaf o saith. Dywedodd Harold McMillan, y Prif Weinidog ar y pryd, 'We have never had it so good'. A theimlais innau mai gwir y gair, oherwydd cefais wraig dda a phrynais dŷ, heb fod ymhell o'm cartref, ger yr argae. Enw'r tŷ oedd Awelfryn, yn agos i Ben-twyn. Roedd Gwyn Williams, cyfaill i mi yn y gwaith, wedi dechrau rhedeg busnes tacsi, ac fe gafodd ein cludo i'r briodas yn Eglwys Llan-non, ac wedi hynny i'r wledd yn Llanelli. Anodd credu heddiw mai pris y briodas gyfan oedd tua £20, a'n bod wedi prynu'r tŷ am £600. Cwmni bysys Gwyn Williams yn y Tymbl yw cyflogwr mwyaf y pentref erbyn hyn. Nid anghofiaf fyth mohono'n dweud wrthyf pan sefydlwyd y busnes, a'i anadl yn brin, 'Dyna drueni 'mod i wedi gweld gwaith glo erioed'.

Ar ddiwedd fy nghyfnod dan-ddaear ar lefel 5, cefais amser gwell, oherwydd nid oeddwn yn cloddio am lo bellach ond yn cynnal a chadw'r offer peirianyddol. Cefais gwmni difyr Glan Jones, Dai Goodfellow, Harri Phillips, *wire man,* a Gareth Jones. Dyma'r cyfnod ar ddiwedd y pumdegau pan oedd Jac a Wil, a oedd yn gweithio gyda ni yn y lofa, yn canu deuawdau mewn nosweithiau llawen a chyngherddau, ac yn dechrau gwneud recordiau ac enw iddynt eu hunain.

Wedi priodi ni fuom yn byw yn hir yn ein cartref newydd yn Awelfryn ger Llan-non, oherwydd yr oeddwn wedi rhoi fy mryd ar fynd i'r weinidogaeth a phryd hynny golygai dreulio pum mlynedd yn y coleg. Doedd dim sôn am *crash course* oherwydd roedd digon o weinidogion ar gael. Bu Elizabeth mor garedig â bodloni ar adael ei chartref a mynd i gadw tŷ busnes i gwmni South Wales Builders yn Sgeti, Abertawe, ac fe es i adref i Ben-twyn Cottage am gyfnod.

Wedi i mi adael y lofa tua diwedd 1959 i fynd i'r coleg, daeth siom fawr i'r ardal oherwydd i waith glo'r Mynydd Mawr ddod i ben ym 1962. Roedd dros 1,100 yn ennill eu bywoliaeth yno. Do, fe ddaeth cwmwl du dros yr ardal a lle cynt bu'r Tymbl yn un bwrlwm o brysurdeb a phobl yn tyrru yno i weithio'n ddyddiol o ardaloedd Caerfyrddin, Llanelli a Rhydaman, bellach nid oedd ond tawelwch mud. Gwelodd y banc a'r siopau, yn ogystal â'r busnesau bach oedd yn darparu coed ac ati, wahaniaeth mawr yn y Tymbl wedi hyn.

Er i nifer o weithwyr gael eu trosglwyddo i waith newydd a agorwyd yng Nghynheidre, ac i nifer o goliers a'u teuluoedd symud o ardal Durham i ddod i weithio yno, ni bu'r gwaith hwn ar agor yn hir oherwydd cafwyd trafferthion tanddaearol peryglus.

Yr oeddwn wedi hen adael y diwydiant glo pan ddigwyddodd Streic Fawr 1984-85 ym Mhrydain. Roedd y Prif Weinidog ar y pryd, sef Mrs Thatcher, eisiau cau'r gweithfeydd glo oherwydd eu bod yn gwneud colled ariannol. Galwodd Arthur Scargill, sef arweinydd Undeb y Glowyr, am streic, heb sylweddoli'n llawn bod Thatcher, yn gyfrwys, wedi gofalu bod digon o stoc o lo ar gael am fwy na blwyddyn.

Bu'r amgylchiad hwn yn un trist iawn yn hanes y glowyr oherwydd rhannwyd yr Undeb, yn ogystal â chymunedau a theuluoedd. Wedi dioddef caledi enbyd a brwydro'n ddygn, bu'n rhaid i'r glowyr ildio yn y diwedd, ac aeth Thatcher ati i gau llawer mwy o weithfeydd glo. Diddorol nodi'r ystadegau: roedd 620 o weithfeydd glo yn Ne Cymru ym 1913, yn cyflogi 23,000 o weithwyr, ond erbyn 1991 dim ond tri gwaith oedd ar ôl yn cyflogi 1,900 yn unig.

Mae'r unig waith glo a oroesodd yng Nghymru, sef gwaith glo'r Tŵr yn Hirwaun, newydd gau a diwydiant sy'n perthyn i hanes yw'r diwydiant glo mwyach. Ond wrth edrych yn ôl, ymfalchïaf yn y ffaith i mi gael y profiad o weithio yn y lofa. Roedd yn goleg arbennig ac ni fynnwn er dim fod heb y profiad hwnnw. Os prin oedd anadl y gweithwyr, nid oeddent brin o ddeallusrwydd, o gyfeillgarwch nac o hawddgarwch.

Y Bêl Hirgron

Ym 1977, fe ddarganfuwyd bedd nodedig ym Menton, Ffrainc sydd ar y ffin â'r Eidal. Mae'r arysgrif ar y bedd yn darllen fel a ganlyn:

> This story commemorates the exploits of William Webb Ellis who with a fine disregard for the rules of football as played in his time first took the ball in his hands and ran with it, thus originating the game of rugby in AD 1823.
> Presented by Rugby School, 24 February 1972.

Offeiriad oedd William Webb Ellis ac mae'n debyg iddo fod yn rheithor ar Eglwys San Clement yn Llundain. Ond cyn y dyddiau hynny, fel y dywed yr arysgrif, ac yntau yn grwt ysgol 17 oed yn Rugby, fe wnaeth rywbeth gresynus a oedd yn haeddu cosb ar y pryd. Torrodd reolau pêl-droed ei ddydd drwy godi'r bêl i fyny a rhedeg â hi yn ei ddwylo. A dyna, i bob pwrpas oedd dechrau'r gêm rygbi yn Lloegr. Ymledodd y gêm yn fuan i Ffrainc, ac fe'i croesawyd gan yr athrawon yno fel gêm a oedd yn paratoi meddwl a chorff yr ifanc i wynebu treialon bywyd.

Rhyfedd meddwl mai offeiriad, hefyd, a ddaeth â'r gêm rygbi yn gyntaf i Gymru, i Lanbedr Pont Steffan yn y flwyddyn 1850. Dywed Gareth Williams a David Smith yn eu llyfr godidog, *Fields of Praise*, a gyhoeddwyd ym 1980, bod Prifathro newydd wedi dod i Goleg Prifysgol Llanbed, sef y Parchedig Athro Rowland Williams, athro yn yr Hebraeg, ac mai ef a ddaeth â'r gêm newydd hon gydag ef am y tro cyntaf i'n gwlad ni. Ar ôl cyflwyno'r gêm fe gafodd dderbyniad gwresog a brwdfrydig ar unwaith, a gwnaeth argraff ddofn ar y Coleg yn Llanbed.

Mae cofnod o reolau'r Coleg ym 1850 yn datgan, ar ôl iddynt weld y gêm newydd – 'Whatever time a student may require for relaxation should be spent in healthful exercise rather than in clownish lounging about shops and market places. Forthwith, athletics, cricket, croquet, fives and football were introduced to St David's College'. Felly, fe all selogion rygbi Llanbed ymffrostio mai yn y dref hon y gwelodd rygbi olau dydd am y tro cyntaf yng Nghymru. Hawdd dychmygu sut y bu myfyrwyr y coleg yn chwarae yn erbyn ei gilydd ar y dechrau o dan gyfarwyddyd y Parchedig Athro Rowland Williams cyn mentro, mi dybiwn, yn erbyn Coleg Ystrad Meurig, Coleg Llanymddyfri a Choleg Aberhonddu. Os nad ydym yn ddyledus i'r Sais am ddim byd arall, yr ydym yn ddyledus iddo am ddechrau'r gêm arbennig hon sydd wedi rhoi cymaint o fwynhad a gwefr i laweroedd dros y byd.

Clywais lawer o sôn am rygbi yn yr ysgol, er na chlywais yr un o ffermwyr Pen-twyn yn sôn am y gêm. Fodd bynnag, roedd pobl Cross Hands a'r Tymbl yn byw, siarad, bwyta a chysgu rygbi i raddau helaeth. Wrth fyw mewn awyrgylch o'r math hwn enynnwyd ynof innau ddiddordeb mawr yn y gêm.

Mentrais am y tro cyntaf i fyd rygbi pan oeddwn tua 16 oed. Roeddwn wedi bod yn chwarae snwcer ryw nos Sadwrn yn neuadd fach Oswald Evans ar sgwâr Cross Hands, a dyma ddyn byr o'r enw Maldwyn yn dod ataf a'm perswadio i fynd i gael prawf ar gae'r Pownd, Cross Hands, gan ei bod yn fwriad i ffurfio tîm rygbi newydd yn y pentref. Oherwydd y tlodi a'r cyni nid oedd gennyf y *togs* angenrheidiol i gyd. Ond er mawr syndod i mi, cefais fy newis yn gefnwr ac ymhen amser yn asgellwr.

Wrth gofio nôl i'r adeg honno, sylweddolaf fod fy mrwdfrydedd yn fwy o lawer na'm dealltwriaeth o'r gêm, a chofiaf fod yr enwog Carwyn James, a oedd yn byw gerllaw, wedi fy hyfforddi am ychydig. Ni feddyliais y pryd hwnnw y byddwn yn chwarae gyda Carwyn yn y profion i Gymru. Yn y cyfnod hwnnw y bu Carwyn yn fy nghynghori. Roedd newydd fod yn gapten ar dîm ysgolion Cymru ac roedd llawer o alw am ei wasanaeth. Roedd wedi gorffen yn ysgol Ramadeg y Gwendraeth, ysgol sydd wedi bod fel ffatri yn cynhyrchu maswyr i Gymru dros y blynyddoedd – pobl megis Barry John, Gareth Davies a Jonathan Davies. Maes o law fe chwaraeodd dros Lanelli a Chymru ac fe hyfforddodd y Llewod Prydeinig yn fuddugoliaethus yn Seland Newydd ym 1971 ac wedyn hyfforddi Llanelli i'w curo ar y Strade, ym 1972. Roedd yn ddyn o egwyddorion moesol, a chofiwn amdano'n mynegi ei wrthwynebiad i apartheid drwy wrthod gwylio'r gêm rhwng Llanelli a De Affrica ym 1970. Gŵr diymhongar ydoedd a meistr ar y gamp. Roedd ei weledigaeth fel 'dyn rygbi' yn ddigymar ac mae'n ddirgelwch hyd y dydd heddiw pam na chafodd ei ddewis yn hyfforddwr cyntaf i dîm Cymru. Ai oherwydd y rhagfarnau a oedd gan rai pobl a oedd mewn swyddi cyfrifol yn ei erbyn y gwrthodwyd ef?

Wedi chwarae rhai gemau i dîm pentre Cross Hands, chwaraeais yn yr ail reng i dîm ieuenctid y Tymbl o dan gyfarwyddyd Wil Adams. Roedd y gŵr hwn wedi bod yn *overman* yn y gwaith glo yn y Tymbl ac roedd yn dal i gnoi baco, a phoeri, rhwng brawddegau. 'Jenkins', meddai wrthyf unwaith, 'rwyt ti'n dala'r bêl 'na mor deit fel na chaiff hyd yn oed Iesu Grist hi wrtho ti'. Wedi hyn bûm yn chwarae i ail dîm y Tymbl, yna i'r tîm cyntaf, yn yr ail reng, yng nghynghrair Gorllewin Cymru. Roedd brwdfrydedd pobl y Tymbl dros y gêm yn heintus a chafwyd llawer o storïau diddorol gan y cefnogwyr am y tîm llwyddiannus a enillodd y Cwpan a'r Darian nifer o weithiau wedi'r rhyfel.

Ymwelais yn ddiweddar â Bryn Rowlands, a fu'n gapten ar y tîm llwyddiannus hwnnw. Cefais groeso mawr ganddo ef a'i wraig, Gwenda. Nid oeddwn wedi gweld Bryn (Bulah oedd ei ffugenw) er 1959, a synnais iddo f'adnabod ar unwaith. Adroddodd yr hanes wrthyf am y tro yr aeth tîm y Tymbl i chwarae ym Mhen-clawdd rhyw brynhawn dydd Sadwrn. Roedd ganddynt hwy gefnogwyr byrbwyll iawn. Daeth y bêl i ddwylo asgellwr y Tymbl a oedd yn siŵr o sgorio oherwydd nad oedd neb o'r tîm arall yn ceisio'i rwystro. Ond er syndod, daeth rhyw wraig allan o'r dyrfa ag ymbarél yn ei llaw a bachodd hi goesau'r gelyn nes iddo syrthio'n bendramwnwgl i'r llawr!

Brwydr galed bob blwyddyn oedd yr un rhwng y Tymbl a Phontyberem, y *local derby* fel y'i gelwid, pob bore dydd Nadolig. Oedd, roedd gan y Tymbl dîm da am flynyddoedd lawer cyn i arian dreiddio i'r gêm. Dywedodd rhywun o'r pentref wrthyf yn ddiweddar mai chwarae o'r galon roeddem ni yn ei wneud yn y cyfnod hwnnw, ond chwarae o'r waled y maent heddiw. Gofid mawr yw bod ambell bentref fel y Tymbl yn colli chwaraewyr da am eu bod yn cael mwy o arian gan bentref arall.

Daw i'm cof y brwdfrydedd mawr a oedd yn y Tymbl wrth groesawu sêr clwb Caerdydd i chwarae ar gae'r pentref. Roedd y lle'n orlawn ar noson ddigon niwlog. Capten Caerdydd oedd Bleddyn Williams, a chofiaf fod Tanner, Cleaver, Frank Trott, Les Mansfield a'r rhan fwyaf o'r lleill yn chwaraewyr rhyngwladol. Clywais rai yn y dyrfa yn dweud y noson honno, 'Dyma beth yw *class*.' Er i fechgyn y Tymbl chwarae'n rhagorol, fe sgoriodd Bleddyn Williams ddau gais o dan y pyst a Chaerdydd a enillodd y gêm. Feddyliais i erioed y byddwn yn chwarae yn erbyn y sêr hyn rhyw ddiwrnod.

Fe ddes i ddeall ymhen amser, pan oeddwn yn byw yn Aberystwyth, bod Gwyn Martin yn aelod o'r tîm hwnnw, a'i fod wedi chwarae i Lanelli ac Aberafan hefyd. Cefais lyfr yn rhodd ganddo, sef *Up and Under* sy'n crynhoi profiadau'i fywyd. Ymaelododd â'r llu awyr a bu ar 50 o gyrchoedd bomio. Cafodd ei saethu lawr a threuliodd dair blynedd yn garcharor yn Stalag Luft 3. Ceisiodd ddianc oddi yno drwy dwrio ei ffordd allan. Mae'r hanes yn hanes rhyfeddol, a braint bob amser yn ystod y blynyddoedd diweddar oedd cael sgwrsio ag ef yn Aberystwyth lle'r oedd yn fferyllydd cyn ei farwolaeth rai blynyddoedd yn ôl.

Diddorol yw nodi mai Hubert Peel, dyn hoffus, llawn hiwmor oedd ffisiotherapydd y Tymbl am flynyddoedd pan oeddwn i'n aelod o'r clwb. Ar ôl hynny yr aeth at y Scarlets. Roedd yn dad-cu i Dwayne Peel, ac fe fyddai wedi ymfalchïo'n fawr petai wedi cael byw i weld ei ŵyr yn chwarae ar y Strade a thros Gymru.

Un nos Iau pan oeddwn yn 19 oed, roeddwn wedi bod yn chwarae i glwb y Tymbl yn Rhydaman. Yn hwyrach y noson honno, er syndod i mi, dyma Sid Williams, sef ysgrifennydd clwb y Scarlets a Handel Rogers, cadeirydd y clwb, yn galw yn ein tŷ ni ym Mhentwyn ac yn gofyn i mi chwarae dros Lanelli yn Llundain y dydd Sadwrn canlynol. Roeddent wedi cael trafferth ofnadwy i ddod o hyd i mi yng nghanol hewlydd bach cul y wlad, ac meddent wrthyf yn Saesneg, 'How on earth have you learnt to play rugby in such a lonely and remote place as this?'

Roedd cael fy newis i chwarae dros Lanelli ym 1952, a finnau mor ifanc, yn llawenydd mawr i mi ac nid oeddwn yn medru cysgu'r noson honno wrth feddwl am yr her a meddwl am ddweud wrth y bois yn y gwaith y bore trannoeth. Cofiaf ein bod wedi ennill y gêm honno ac i mi gael fy medyddio gan bapur dyddiol yn ail Roy John. Yn fuan wedi hynny cefais yr hawl gan glwb y Tymbl i chwarae dros y Scarlets yn gyson.

Roedd Lewis Jones wedi ymadael â'r Strade ychydig cyn i mi ymuno â'r clwb, ac fe aeth i glwb Leeds am swm sylweddol o arian. Doedd dim cyfathrach rhwng rygbi'r undeb a rygbi'r gynghrair, a phe bai unrhyw un o rygbi'r undeb yn cael ei ddal mewn cyswllt â rygbi'r gynghrair, byddai'n cael ei wahardd o glybiau a chaeau'r undeb.

Mae hanesion difyr iawn am dîm Llanelli dros y blynyddoedd ac o'r cychwyn cyntaf cartref 'tîm y sosban' oedd y Strade. Gwelir llun sosban, wrth gwrs, ar bennau'r pyst ar y maes, ac mae'n wir dweud bod y penillion a ganwyd gan fyfyriwr diwinyddol, yn wreiddiol, bellach bron bod yn anthem genedlaethol ar y maes rygbi, er nad dyma'r fersiwn a glywir heddiw:

Mae bys Meri Ann wedi brifo
A Dafydd y gwas ddim yn iach.
A'r baban yn y crud yn crio
A'r gath wedi crafu Joni bach.

Sosban fach yn berwi ar y tân,
Sosban fawr yn berwi ar y pentan,
A'r gath wedi crafu Joni bach.

Erbyn 1902 roedd 27 o'r Scarlets wedi cael cap dros Gymru. Cofiaf ddarllen erthygl yn yr *Evening Post* ar 20 Tachwedd 2001, yn dwyn y pennawd, 'Christians against Rugby'. Rwy'n dyfynnu: 'The suitability of the game was questioned by Christians. No non-conformist minister would be seen dead at a rugby match, let alone play in one.

S. B. Williams, however, was a curate at St Paul's and was one of many Anglican priests to play for Llanelli. Among them, C. B. Nicholl and J. Strand Jones had already played and they would be followed by many more, including W. J. Havard who, after a curacy in Llanelli, became Bishop of St Asaph and, later, Bishop of St David's.

At a banquet held to celebrate a victory over Swansea on March 6, 1902, S. B. Williams rose to condemn the attitude of Christians who objected to the game of rugby. He said, somewhat mischievously, that there was less rowdyism among the 12,000 spectators at the Swansea game than one would find in a Gymanfa Ganu or Eisteddfod.

A stinging reply came in the following week's *Mercury* – 'This is a fine specimen of a Christian, standing in a pulpit preaching Christ on a Sunday and the previous Saturday enticing hundreds of people to witness the smashing of noses, the breaking of ribs and collar-bones, swearing, cursing and gambling.

The controversy rumbled on and though chapel members watched and played for Llanelli, ministers were very rarely seen at Stradey until after World War Two and it would seem that Rev Elwyn Jenkins was the only one to have participated – he played for Swansea and Llanelli.' Ond nid oeddwn yn weinidog yr adeg honno.

Mae'n wir dweud y bu cyfnod ym mlwyddyn Diwygiad 1904-05 pan nad oedd rygbi yn cael ei chwarae o gwbl gan ambell glwb yn y De. Ond ni chredaf, fel llawer un arall, bod rhaid peidio â chwarae gêm, oherwydd mae ffitrwydd corfforol yn gwneud lles i gorff, meddwl ac ysbryd pob un ohonom.

Dywed yr Athro Gareth Williams a David Smith yn *Fields of Praise*, bod y rhai a gafodd brofiad ysbrydol dwys o ganlyniad i bregethu grymus Evan Roberts adeg Diwygiad 1904-05 wedi llosgi eu capiau a'u crysau rygbi rhyngwladol. Ar ôl clywed Evan Roberts yn pregethu ym Mynydd Cynffig syfrdanwyd capten y tîm rygbi lleol, ac un dydd Sul yn y capel dywedodd: 'Rwyf wedi arfer chwarae fel cefnwr dros y diafol ond bellach rwyf yn chwarae fel blaenwr dros Dduw'. Deallaf yn ôl y llyfr hwn i'r gêm rygbi yn gyffredinol gael ei gwahardd am dair neu bedair blynedd yn Nhreforys, Creunant, Pen-y-groes ac yng Nghasllwchwr – cartre'r Diwygiad yn y De. Dyblodd nifer aelodau dosbarth yr Ysgol Sul yn Noddfa, Treorci, ar unwaith oherwydd bod chwaraewyr rygbi wedi ymuno. Yn Ynys-y-bŵl, bedyddiwyd holl aelodau'r tîm rygbi gyda'i gilydd.

Ond mor wahanol yw'r sefyllfa erbyn heddiw pan welir Undeb Rygbi Cymru yn danfon hyfforddwyr i drefi a phentrefi'n gwlad ar fore Sul adeg cynnal Ysgolion Sul ac oedfaon. A oes rhyfedd ei bod hi'n anodd cael plant i'r Ysgol Sul i weld gwerth mewn cael sylfaen a chanllawiau Cristnogol?

Wrth weithio yn y lofa yn y Tymbl, clywais siarad lawer gwaith am Albert Jenkins. Yn ôl rhai ef oedd y chwaraewr gorau a welodd y Strade erioed yn ei hanes. Pe digwyddai nad oedd ef yn ôl y disgwyl yn chwarae, oherwydd salwch, er enghraifft, ni fyddai pawb yn aros i wylio'r gêm ond yn hytrach yn mynd adref yn syth.

Wedi dechrau chwarae fy nhymor llawn cyntaf i Lanelli, yn Hydref 1953 bu farw Albert Jenkins, ac fel tîm rhoddwyd bandiau du am ein breichiau a chafwyd munud o dawelwch i gofio am sgiliau'r cawr cydnerth hwn. Y canolwr chwim, y rhedwr cyflym a'r ciciwr heb ei ail – un a roes wefr i filoedd o bobl. Roedd yn eicon yn ei gyfnod, yn weithiwr yn y dociau ac yn gyfaill hollol ddiymhongar.

Bu'r flwyddyn 1953 yn un bwysig i Lanelli oherwydd ymweliad Seland Newydd â'r Scarlets. Ond er 'mod i'n chwarae yn gyson i'r tîm cefais fy ngollwng ar gyfer y diwrnod mawr ac fe aeth nifer o bobl y Tymbl yn wallgof oherwydd yr anghyfiawnder. Y gêm fawr honno oedd yr unig un i mi golli drwy'r tymor. Roeddwn wedi llwyddo i gael llawer o docynnau ar ei chyfer ac wedi addo i nifer o'm cydweithwyr y byddent yn sicr o gael mynediad. Ond oherwydd i mi roi'r tocynnau mewn lle mor ofnadwy o saff, methais â dod o hyd iddynt mewn pryd i'w rhoi i'r bois yn y cantîn ar ddiwrnod y gêm. Wel, sôn am siom ac nid dyma'r lle i ddyfynnu'u geiriau. Pan wnes i ddarganfod y tocynnau mewn rhyw lyfr, roedd hi'n rhy hwyr! Ni wn hyd y dydd heddiw a gefais faddeuant am fy mhechod!

Peter Evans, y 'Blond Bombshell', oedd capten y tîm. Byddwn i'n teithio i'r Strade yng nghwmni Wynne Evans, Llandybïe a Gethin Hughes o Ben-y-groes. Braf oedd cael cwmni'r bechgyn a chael mwynhau cwmni chwaraewyr megis Ray Williams, R. H. Williams, Les Phillips, Hubert Daniels, Raymond Evans ac eraill, y rhan fwyaf ohonynt yn Gymry Cymraeg eu hiaith.

Roedd James Griffiths, yr Aelod Seneddol dros Lanelli, yn gefnogol iawn i'r Scarlets ac weithiau byddai'n galw heibio i'r chwaraewyr yn yr ystafell newid. Roedd e'n arwr mawr i 'nhad a glowyr eraill am ei fod wedi dilyn Mabon – un na fu ei fath erioed fel arweinydd Undeb y Glowyr. Daeth James Griffiths maes o law yn Ysgrifennydd y Gymanwlad ac yna'n Ysgrifennydd Gwladol cyntaf dros Gymru yn y Swyddfa Gymreig.

Cymeriad amlwg ar bwyllgor Clwb rygbi Abertawe oedd y Barnwr Rowe Harding a oedd wedi chwarae dros ei wlad ddwy ar bymtheg o weithiau a thros y Llewod hefyd yn safle'r asgellwr. Roedd yn ddadleuwr cryf dros gadw'r gêm yn ddi-dâl, oherwydd credai bod cael chwarae rygbi yn fraint ac na ddylid troi'r gêm yn fusnes.

Tua diwedd 1954 ymunais â chlwb rygbi Abertawe. Y capten ar y pryd oedd Clem Thomas o Frynaman. Efe oedd y cyntaf i'm croesawu i'r ystafell newid yn San Helen. Dyma'r adeg pan oedd Islwyn Hopkins o Glydach a oedd wedi chwarae i Aberafan hefyd yn cael cyfle i ffurfio ail reng newydd. Sylweddolodd y ddau ohonom nad oedd pawb yn ein croesawu, gan ein bod yn eu disodli o'u safleoedd yn y tîm. Roedd Islwyn yn gadarn o gorff a daeth â chlod anghyffredin i'r tîm dros y blynyddoedd.

Wedi i mi chwarae pedair gêm i Abertawe, ac ar ôl gêm ffyrnig yn erbyn Castell-nedd ar y Knoll, cefais fy newis i chwarae yn y prawf terfynol dros Gymru ar Barc yr Arfau, Caerdydd, ar y Sadwrn cyntaf ym mis Ionawr 1955. Roeddwn yn 21 mlwydd oed. Roedd pobl Pen-twyn, Tymbl a Cross Hands yn llawenhau ac fe wnaeth llawer ohonynt ddod i Gaerdydd i weld y gêm brawf. Ond er i mi gael gêm ardderchog yn ôl barn y papurau dyddiol ac er iddynt ddweud y dylwn fod yn nhîm Cymru yn erbyn Lloegr, nid felly y bu, a glynu wrth yr hen chwaraewyr a wnaeth y dewiswyr. Bûm yn ddigon ffodus, serch hynny, i gael y fraint cyn diwedd y flwyddyn i chwarae dros dîm Cymru yn erbyn y Llewod Prydeinig ar Barc yr Arfau, ar ddechrau Hydref 1955, i ddathlu 75 mlynedd yr Undeb. Gwefr arbennig oedd cael sefyll yng nghanol y cae pan oedd tyrfa luosog o hanner can mil o bobl yn canu 'Hen Wlad fy Nhadau'. Profiad oedd hwnnw a erys byth yn y cof. Roedd y gêm hon yn un wefreiddiol, yn llawn chwarae agored, ac yn y diwedd y Llewod Prydeinig a enillodd o 19 pwynt i 17 pwynt yn ein herbyn ni'r Cymry. Piti bod brwdfrydedd yn drech nag iaith heddiw, a bod cynifer o'n chwaraewyr yn fud pan genir yr anthem.

Gêm fawr flynyddol bwysig hefyd oedd honno ar gae San Helen bob dydd Llun y Pasg. Gêm yn erbyn y Barbariaid oedd hon ac fe welwyd rygbi ar ei orau. Roedd tuag ugain mil o bobl yno pob blwyddyn a llawer ohonynt yn dod o'r pentrefi o gwmpas Abertawe i gael gweld y wledd, ac ni siomwyd mohonynt erioed. Roedd cae Abertawe yn gae rhyfeddol, nid yn unig am ei fod yn gae eang y chwaraeid gemau rhyngwladol arno 'slawer dydd, ond hefyd oherwydd ei fod yn seiliedig ar dywod. Hyd yn oed pe byddai'n bwrw glaw'n drwm ar ddiwrnod y gêm, byddai'n sychu eto'n fuan iawn.

Roedd hi'n ddeddf y Mediaid a'r Persiaid bod yn rhaid i bob un o'r tîm a oedd yn chwarae ddydd Sadwrn droi lan ar gae San Helen bob nos Fawrth a nos Iau i ymarfer a cheisio meddwl am dactegau. Byddai'r ymarfer yn para tua dwy awr fel arfer, ac yna fe fyddem yn cael ychydig o luniaeth yn y clwb. Un nos Fawrth, wrth ymarfer y llinell osod ar gyfer gêm yn erbyn Romania, cefais ddamwain gas iawn a phenelin rhywun yn fy llygad. Bu'n rhaid mynd â fi'n syth i'r ysbyty mewn tacsi. Dywedodd y doctor fy mod yn ffodus iawn nad oeddwn wedi colli fy llygad a rhoddodd ddau chwistrelliad i mewn i fyw fy llygad. Dyna'r boen fwyaf ofnadwy a deimlais erioed. Serch hynny, roeddwn ar y cae y dydd Sadwrn canlynol yn chwarae o flaen tyrfa enfawr o dros ugain mil. Ond colli fu ein hanes y prynhawn ofnadwy o boeth hwnnw, a chawsom ein barnu'n hallt gan y wasg.

Y dydd Sadwrn canlynol cawsom y gorau ar dîm o chwaraewyr rhyngwladol, ac fe gawsom ymddiheuriadau lu gan y wasg y diwrnod hwnnw. Byddem yn cael ein digolledu o ran ein costau a'n treuliau yn y clwb ar nos Sadwrn. Cofiaf y trysorydd yn gofyn i un o'm cyd-chwaraewyr, 'Faint sydd arnon ni i chi?', ac yntau'n ateb trwy nodi swm mwy na'r cyffredin. Ac meddai'r trysorydd yn Saesneg, 'What brought you here, a helicopter?' Ateb digon swta a gafodd ffrind i mi hefyd pan ofynnodd am bedwar swllt i gael pryd o fwyd. 'No', meddai'r trysorydd, 'I was in that café last week and it was two shillings'. A dau swllt a gafodd.

Mae'n rhyfedd meddwl sut mae pethau wedi newid mor ddirfawr. Pan oeddwn yn mynd i ffwrdd ar daith i ogledd Lloegr gyda chlwb Abertawe, byddwn yn gorfod colli wythnos o gyflog yn y gwaith, ond fe fyddwn yn ei hystyried yn fraint ac yn anrhydedd cael bod yn rhan o'r tîm. Doedd yr arian prin ddim yn cael ei ystyried yn bwysig mewn cymhariaeth â'r fraint o gael chwarae.

Roeddwn bob amser yn edrych ymlaen at deithiau'r tîm ar ddiwedd pob tymor. Cofiaf fynd ar daith gynta'r tîm, ar ddiwedd tymor 1955, i Newcastle Upon Tyne a Chaeredin i chwarae'r Watsonians. Maent hwy bellach yn chwarae ar gae enwog Murrayfield. Roeddem wedi gadael Abertawe ar drên 7 o'r gloch y bore, ond nid oedd *buffet car* ar y trên, yn ôl yr addewid, ac erbyn i ni gyrraedd, wedi taith ddeuddeg awr, roeddem i gyd ar fin llwgu. Y cyfan a gawsom, gydol y daith, oedd ychydig siocled gan Teifion Williams.

Y noson cyn Calan oedd hi, ac yn ôl eu traddodiad roedd yr Albanwyr yn dathlu Hogmanay, yn ffarwelio â'r hen flwyddyn ac yn croesawu'r flwyddyn newydd. Mae hon yn ŵyl bwysig dros ben iddynt, ac nid aethom ninnau i'r gwely'r noson honno chwaith. Buom ninnau'n bwyta, dawnsio a chanu. Does dim rhyfedd i mi glywed person yn y dyrfa'r diwrnod canlynol yn datgan, wrth ein gwylio'n chwarae, mai dyna'r tîm gwaethaf iddo weld erioed o Abertawe!

Diwedd tymor y flwyddyn ganlynol fe aeth ein tîm ar daith i Gernyw ac aros mewn gwesty moethus dros ben, sef y Duke of Cornwall Hotel yn Plymouth. Cofiaf mai Rees Stephens oedd un o'r gwahoddedigion, ac er ei fod yn Ynad Heddwch roedd yn ddrygionus iawn ac yn hoffi chwarae pob math o driciau. Roedd gan Abertawe ddau chwaraewr rhyngwladol arall sef, Horace Phillips o Dreforys a Peter Stone o Gasllwchwr. Diddorol yw nodi i Brian Richards, ein maswr ar y pryd, gael cap dros Gymru ac ymhen amser fe'i penodwyd yn brifathro Ysgol Fonedd Rugby, yn yr union fan lle y dechreuodd y gêm rygbi nôl ym 1823. Yn y chwarae rhydd roeddwn i ar fy ngorau, a chefais gynnig y flwyddyn ddilynol i chwarae i Halifax ac i glwb Leeds, hefyd, ond gwrthodais. Yn yr hen ddyddiau byddai chwaraewyr yn ennill cap pan fyddent yn chwarae dros eu sir, ond nid dyna'r drefn yn fy nyddiau i, er i mi chwarae laweroedd o weithiau dros sir Gaerfyrddin a chael y fraint o fod yn gapten un tro.

Afraid dweud bod rygbi yng ngwaed y teulu. Bu fy mrodyr, sef Elvet a Glyn, yr efeilliaid, yn chwarae rygbi i dîm ysgolion y Mynydd Mawr ac yn ddiweddarach i Landybïe. Priododd fy chwaer, Jean, â Gareth Protheroe a fu'n chwarae fel blaenwr i Gwmllynfell, a bu ei frawd, David, yn chwarae maswr i Abertawe. Chwaraewr arall sy'n perthyn i'n teulu ni yw Keith Griffiths, mab i'm cyfnither, a fu'n chwarae i Quins Caerfyrddin. Ac yn olaf, bu Awen sy'n ail-gyfnither i mi, yn chwarae i dîm merched Cymru laweroedd o weithiau a'i brawd, Aled, yn chwarae i Nantgaredig.

Mae patrwm y gêm wedi newid llawer ers iddi droi'n

broffesiynol ar ddechrau'r nawdegau, ac roedd hi'n hen bryd newid y rheolau i hwyluso chwarae mwy agored. O leiaf dyna oedd y bwriad. Oni chredwch chi mai peth diflas, bellach, yw gorfod edrych ar bentwr o chwaraewyr yn bendramwnwgl ar ben pêl sydd wedi ei chladdu oddi tanynt? Onid oes ffordd i wella'r llinell osod fel bod y neidiwr gorau yn cael y bêl, yn hytrach na rhywun sy'n cael ei godi i'r entrychion? Onid oes yna berygl i rywun dorri corn ei wddf wrth ddisgyn i'r llawr? Wrth gwrs, mae'r cyfryngau torfol, yn enwedig y teledu, wedi chwarae rhan flaengar i gynyddu poblogrwydd y gamp dros y byd, ond yn ddi-os mae lle i'w ddatblygu ymhellach.

Mae'n rhaid i mi gyfaddef ei bod yn well gen i weld yr hen batrwm o chwarae'r gêm, fel yr oedd cyn dechrau'r 1990au. Yr adeg honno roeddech yn gweld ambell faswr yn torri, ond bellach y mae'r pwyslais ar amddiffyn ac oherwydd hynny mae'r gêm yn llawer mwy undonog. Roedd hefyd yn well gen i weld y clybiau unigol, megis Llanelli a Chaerdydd yn chwarae. Mae pobl yn hoff o gefnogi eu clybiau eu hunain, yn fwy felly na thimau rhanbarthol sy'n greadigaethau dierth.

Mae'n ddiddorol sylwi bod Lloegr wedi cadw'r clybiau unigol ac wedi mynd i rownd derfynol Cwpan y Byd yn y ddwy gystadleuaeth olaf. Ac onid yw'n drist gweld y rhanbarthau a'r clybiau mawr yn prynu chwaraewyr sydd ar fin ymddeol, o hemisffer y de, yn hytrach na rhoi cyfle i'n bechgyn ni ein hunain? Er mor hoff ydwyf o weld rygbi undeb ar y teledu, rhaid i mi gyfaddef, fel nifer o bobl eraill, ein bod yn cael mwy o bleser yn gwylio rygbi'r gynghrair, lle mae'r bêl yn cael 'mwy o aer'. Credaf yn bendant mai mwy o chwarae rhydd sydd orau i'r llygaid.

Nid oeddwn yn gwybod dim am SGÔR tan yn ddiweddar, sef mudiad Cristnogol pwysig sy'n gwasanaethu byd chwaraeon ein hoes. Mudiad gwirfoddol ydyw ond mae ganddo swyddogion llawn-amser, sef y Parchedig John Boyers o Fanceinion, y cyfarwyddwr, a'r Parchedig Ray Duple o Watford sy'n Swyddog Datblygu Caplaniaeth Chwaraeon Prydain. Fel cyn-chwaraewr rygbi rwy'n falch iawn o'r datblygiad newydd hwn yn ystod y blynyddoedd diweddar hyn.

Yn ddiweddar, daeth Eddie Burns a oedd yn gydoeswr â mi yn nhîm Abertawe, i ymweld â mi a daeth â'r Parchedig Peter Orphan, sef caplan presennol tîm rygbi Abertawe, gydag ef i'm cartref yn Llanbed er mwyn cael deunydd ar gyfer cylchgrawn y clwb. Gweinidog yw Peter gyda'r Bedyddwyr Saesneg ym Mhantygwydr yn yr Uplands, sydd gerllaw maes criced a rygbi San Helen, a dywedodd bod aelodau'r eglwys y mae'n ei gwasanaethu yn gwbl gefnogol iddo yn ei waith. Soniodd wrthyf ei fod yn achlysurol yn trefnu oedfaon cyffredinol i staff, chwaraewyr a chefnogwyr. Bydd yn rhoi cyngor iddynt ac yn trefnu ambell briodas ac angladd ar eu rhan, gan roddi arweiniad yn ôl y gofyn. Felly, mae ganddo ddwy gynulleidfa wahanol iawn i'w gilydd, un draddodiadol yr eglwys ym Mhantygwydr ac un arall heb gysylltiad o gwbl â'r eglwys fel sefydliad ond sydd, serch hynny, yn dal i fod yn gynulleidfa bwysig yn nhyfiant y Deyrnas. Sylweddolodd fod yr ail gynulleidfa wedi rhoi mynediad iddo i lefydd nad oedd ganddo hawl mynd iddynt o'r blaen a bod bathodyn y caplan yn agor drysau newydd iddo ac yn pontio gagendor. Dywedais wrtho fel jôc, fy mod yn chwe throedfedd a phum modfedd pan ymunais â chlwb rygbi Abertawe ond wedi pacio tu ôl i Eddie Burns a W. O. Williams fe es lawr i chwe throedfedd a thair modfedd!

Braf oedd cael gwahoddiad ddiwedd mis Tachwedd, y llynedd, i ginio hwyrol gan Gymdeithas Cyn-chwaraewyr Abertawe yn y Pafiliwn yn San Helen. Pa beth gwell na chael cyfle i gynnau tân ar hen aelwyd fel petai, a hel atgofion yng nghwmni hen gyfeillion? Islwyn Hopkins, John Faull, Terry Davies a Bryn Meredith i enwi ond dyrnaid ohonynt. Er bod ein pennau wedi gwynnu a'n traed wedi arafu roedd yr atgofion yr un mor fyrlymus.

Mor drist, wrth gofnodi f'atgofion o'r maes rygbi ac yn enwedig felly fy nghysylltiad â maes y Strade, yw clywed am farwolaeth y cawr o Fynydd y Garreg, Ray Gravell. Gŵr diymhongar, a'i angerdd dros 'y pethe' a'i wlad yn ddiarhebol. Yn wir, gellir dweud mai ef

51

oedd calon y genedl Gymreig a bydd y bwlch a adewir ar ei ôl yn un na ellir ei lanw. Fe welwn ei eisiau yn fawr oherwydd ei ddynoliaeth braf a'i awydd i annog ac ysbrydoli eraill. Diolch i Dduw amdano ac am iddo harddu ei dras a'i etifeddiaeth.

Ie, cyfnod hapus a chyffrous oedd y cyfnod hwn ond arall oedd trywydd fy ngyrfa i fod a daeth galwad y weinidogaeth, gan agor drysau eraill i'r dyfodol.

GALWAD YR EFENGYL

Mae nifer wedi gofyn i mi dros y blynyddoedd paham yr es i i'r weinidogaeth. Yr ateb syml yw oherwydd bod yna angen gweinidogion a bod gennyf gariad at y gwaith. Roedd e'n rhywbeth a dyfodd ynof yn raddol, ac nid tröedigaeth ffordd Damascus mohono fel y cyfryw. Rwy'n ddiolchgar i'r Parchedig D. J. Jones, fy ngweinidog ar y pryd ar ddiwedd y pumdegau, am ei hyfforddiant a'i arweiniad i mi fel ymgeisydd am y weinidogaeth amser-llawn. Y peth cyntaf roedd yn rhaid i mi ei wneud oedd pregethu a chymryd oedfa yn fy nghapel fy hun ym Mhen-twyn. Nid oeddwn wedi cymryd rhan yn gyhoeddus fel hyn o'r blaen, a phebawn yn cael fy nghrogi ni fyddwn wedi bod yn fwy nerfus na'r pryd hwnnw. Ar ôl cael cefnogaeth yr aelodau a'r eglwys, bu'n rhaid i mi fynd drwy ddosbarth o eglwysi a chael fy mhrofi mewn arholiad ysgrifenedig. Y cam nesaf oedd ymddangos o flaen Bwrdd y Cyfundeb Presbyteraidd yng Nghaerfyrddin, lle'r holwyd fi ymhellach ynglŷn â'm cymhellion. Cefais fy nghyfarwyddo wedyn i fynd i Drefeca i ddilyn cwrs paratoad, cyn mynd i Goleg Diwinyddol Aberystwyth i geisio Diploma o dan y Brifysgol.

Roedd mynd i le tawel fel Trefeca yng ngogledd-ddwyrain Brycheiniog cryn dipyn yn wahanol i fwrlwm y gwaith glo. Byddwn yn teithio yno bob prynhawn Llun yn y car gyda Meirion Sewell o'r Tymbl a Howell Evans o Rydargaeau. Byddai bocs yn llawn o fwyd gan bob un ohonom bob tro a byddem yn ei roi i Mrs Williams 6, Teras Trefeca, lle roeddem yn lletya, a byddai hi'n coginio i ni.

Mae Coleg Trefeca yn ymyl Talgarth. Adeilad neo-Gothig ydyw ac iddo ffenestri ogifol sy'n perthyn i'r ddeunawfed ganrif. Mae'n eiddo i Eglwys Bresbyteraidd Cymru. Ar ben yr adeilad mae ceiliog y gwynt ac wrth ei ymyl mae angel yn chwythu corn er dihuno pobl i fywyd newydd.

Cafodd Howell Harris, sylfaenydd y Coleg, dröedigaeth ym 1735 wrth wrando ar Ficer Talgarth yn pregethu. Fe'i hargyhoeddwyd o farn Duw ar bechod, ac yn fuan wedyn dechreuodd bregethu yn yr awyr agored am nad oedd croeso iddo yn yr Eglwys Anglicanaidd. Dylanwadodd ei bregethu grymus ar galonnau nifer fawr o bobl a dechreuodd ffurfio seiadau yng nghartrefi pobl gyda chymorth Daniel Rowlands Llangeitho a William Williams Pantycelyn ac eraill. Ffurfiodd Harris gymuned a alwyd yn Deulu Trefeca – cymuned hunangynhaliol a fyddai'n darparu bwyd, dillad ac esgidiau ac a fyddai hefyd yn cyhoeddi llyfrau. Roedd y ddisgyblaeth yn lem a'r diwrnod yn dechrau am 4.30 y bore mewn gwasanaeth crefyddol. Erbyn y cyfnod hwnnw roedd yr ysgolion cylchynol a sefydlwyd gan Griffith Jones Llanddowror yn dwyn ffrwyth a daeth Ymneilltuaeth i fod yn rym ysbrydol a moesol yng Nghymru.

Dyna, felly, oedd y cefndir pan es i Drefeca ym 1959 o dan arweiniad y Prifathro Trefor Owen Davies a Mrs Mabel Bickerstaff. Yn y dyddiau hynny roedd gan ein henwad bedwar cant wyth deg saith o weinidogion mewn gofalaethau a thros gant a hanner heb ofal eglwys. Ond erbyn heddiw fe ddaeth y chwalfa fawr, a dim ond tua 75 ohonom sydd ar ôl gan yr Hen Gorff.

Wedi blwyddyn yng Ngholeg Trefeca bûm yn ddigon ffodus i gael mynediad i'r Coleg Diwinyddol ger y lli yn Aberystwyth. Roedd bron deg ar hugain ohonom yn fyfyrwyr o wahanol ardaloedd yng Nghymru ac roedd dau o Lundain. Rhodd gan David Davies, Llandinam oedd adeilad y coleg. Roedd ef yn berchennog ar weithiau glo a llongau ac roedd yn ddyn o allu a deallusrwydd cryf. Dywed rhai mai ef oedd y cyflogwr gorau a fu erioed. Roedd yn ŵr o argyhoeddiad Cristnogol dwfn iawn a'i fywyd yn esiampl i bawb. Roedd yn ddyn cytbwys ei farn a gallai weld dwy ochr pob dadl. Pan aeth yn fethdalwr, dywedir iddo alw'r coliers ynghyd a dweud wrthynt: 'Bois, dim ond pishyn coron sy' ar ôl gen i yn fy mhoced, croeso i unrhyw un ohonoch ei gael.' Atebodd rhyw wag, 'Caf i e,' ac fe daflodd y pishyn coron i'w ddwylo. Sylweddolodd y bechgyn pa mor onest a hael ydoedd ac fe benderfynasant weithio am wythnos yn ddi-dâl. Yn rhyfedd iawn, fe ddaethant o hyd i wythïen o lo cyfoethog ac fe gododd i fod yn Arglwydd Davies, Llandinam. Bu farw ym 1890 gan roi'r Coleg Diwinyddol a Neuadd Gregynog i Eglwys Methodistiaid Calfinaidd Cymru.

Coleg preswyl oedd y Coleg Diwinyddol, yn cael ei redeg gan y Prifathro W. R. Williams, Ifor Enoch, Rheinallt Nantlais Williams, Gwilym H. Jones, R. H. Evans a Buick Knox. Gwyddel oedd Buick Knox ac fe ddysgodd y Gymraeg a phregethu ynddi ymhen blwyddyn. Buom fel myfyrwyr yn ffodus iawn i gael darlithwyr rhagorol, ac yn sicr fe wnaethom elwa'n fawr o dan eu harweiniad. Clywsom lawer am eu profiadau ac roedd hynny'n baratoad ardderchog ar gyfer y weinidogaeth. Dysgwyd ni i adnabod ein pwnc, adnabod ein hunain ac adnabod y gynulleidfa. Bu yna lawer o dynnu coes a hiwmor yn ein plith ac fe wnes gyfeillion am oes tra bûm yn y coleg.

Fel myfyriwr, byddwn yn crwydro o un capel i'r llall pob nos Fercher yn nhymor yr hydref i wrando ar bregethwyr Cyrddau Mawr. Ac yr oedd Cymru yn y pumdegau yn gyfoethog ei phregethwyr o'i chymharu â Chymru heddiw. Roeddwn yn cael gwledd wrth wrando ar y Parchedigion W. J. Jones, Herber Evans, W. P. John, Glyn Thomas ac eraill. Byddwn hefyd ar nos Iau yn mynychu seiat a chwrdd gweddi o dan arweiniad J. E. Meredith yn y Tabernacl, H. R. Davies yn Salem a Wynne Griffith yn Seilo.

A sôn am fawrion y genedl, cofiaf fynd o'r coleg i bregethu un tro ym Mhont-rhyd-y-fen. Cyrhaeddais ar y nos Sadwrn a dywedodd Jenkyn Tŷ Capel wrthyf, 'Yr ydych yn cael y fraint o gysgu heno yn yr un gwely y cysgodd John Williams, Brynsiencyn a Thomas Charles Williams ynddo' – dau o gewri'r cyfundeb 'slawer dydd. Ond rhaid i mi gyfaddef mai dyna'r gwely mwyaf anghyffordddus y cysgais ynddo erioed, oherwydd ei fod yn rhy fach i mi!

Stori dda sy'n dod i gof yw'r un y dywedodd Wynne Davies o Jerwsalem, Pen-y-groes, wrthyf am ei fam-gu yn ei rybuddio cyn iddo fynd allan i bregethu. Dyma'i chyngor: 'Pan fyddi di'n pregethu yn y wlad, paid â synnu os bydd ambell i ffermwr yn cwympo i gysgu, achos efallai y byddant wedi bod ar eu traed drwy'r nos achos bod buwch wedi dod â llo'. Wedi iddo fod yn pregethu yn y wlad rhyw dro gofynnodd ei fam-gu iddo, 'Sut aeth hi heddi 'te Wynne bach?' ac atebodd yntau, 'Mae'n debyg bod lot o fuchod wedi dod â lloi nithwr, mwy yn Sir Aberteifi nac yn unman arall!'

Byddai nifer ohonom yn mynd adref, neu i ffwrdd i bregethu dros y Sul, a chyrraedd nôl erbyn prynhawn dydd Llun, a byddai storïau gwahanol gan bob un ohonom i'w hadrodd. Yn ystod gwyliau'r haf byddai'r rhan fwyaf ohonom yn cael gwaith gyda rhyw gwmni neu'i gilydd er mwyn ennill ceiniog neu ddwy yn ychwanegol. Un flwyddyn bûm yn ffodus i gael gwaith gyda J. D. Lloyd, sef cwmni adeiladwyr yn Nhrefechan, Aberystwyth, a'r flwyddyn ganlynol, cefais waith gan gwmni adeiladu Beechwood.

Roedd y cyfnod hwn yn gyfnod cyffrous yng Nghymru a'r ymdeimlad o Gymreictod yn gryf yn ein plith fel myfyrwyr. Roedd dwy gymdeithas Gymraeg yn y Coleg Diwinyddol, sef Cymdeithas y Gymraeg a'r Gymdeithas Sosialaidd a oedd yn cyhoeddi cylchgrawn *Aneurin* dan olygyddiaeth D. Ben Rees. Mynnodd dyrnaid ohonom ym 1963, ynghyd â llu o fyfyrwyr eraill o Fangor ac Aberystwyth, brotestio yn erbyn ynadon a oedd yn gwrthod rhoi gwŷs i'r llys yn y Gymraeg. Buom yn protestio y tu allan i'r Swyddfa Bost, a Swyddfa'r Cyngor, gan obeithio y byddai rhai ohonom yn cael ein harestio, ond nid felly y bu.

Felly aeth hanner y protestwyr ymlaen i atal traffig ar bont Trefechan gan gynddeiriogi'r gyrwyr yn fawr. Dyna, mewn gwirionedd, oedd dechrau Cymdeithas yr Iaith sydd bellach wedi sicrhau cynifer o hawliau i gyfoethogi bywyd a diwylliant y Cymry.

Cyfnod hapus oedd y cyfnod hwn – cyfnod pan gefais eto gyfle i fwynhau chwaraeon. Cynrychiolais dim pêl-droed y Coleg ar fwy nag un achlysur a chefais ambell gêm o rygbi, er nad oeddwn yn medru rhedeg hanner mor gyflym ag yn y blynyddoedd a fu.

Ond erbyn i mi ddechrau ar fy mlwyddyn olaf yn y Coleg daeth yr alwad i weinidogaethu ym Moriah, Brynaman a Brynllynfell, Cwmllynfell, ac i'r fan honno yr euthum yn ystod haf 1964.

BRYNAMAN A CHWMLLYNFELL

Erw Fyrddin oedd enw'r mans ym Mrynaman, ac roedd y tŷ hwn drws nesaf i gartref Len ac Aneira Bevan a'u mab Alun Wyn, oedd tua deng mlwydd oed ar y pryd. Roedd Len newydd ddychwelyd o daith y Llewod yn Ne Affrica gyda rhai ffrindiau brwdfrydig iddo o Frynaman pan aethom ni yno i fyw. Nid yw'n syndod o gwbl felly bod Alun Wyn Bevan wedi meithrin yr un diddordeb â'i dad ac wedi bod yn sylwebydd rygbi a chriced ar y radio a'r teledu. Mae hefyd yn awdur nifer o lyfrau'n ymwneud â chwaraeon ac mae wedi teithio'r byd oherwydd ei frwdfrydedd heintus yn y maes hwn.

A minnau prin wedi ymsefydlu yn yr ardal, cofiaf ddigwyddiad tra difrifol pan ddymchwelodd nenfwd y capel heb ddim rhybudd o gwbl. Un bore Llun daeth rhai o'r blaenoriaid i'r mans a dweud am yr hyn oedd wedi digwydd. Y noson gynt roedd nifer o bobl ifanc wedi bod yn eistedd y tu ôl i'r cloc ar y galeri, a phetai'r plastr trwm wedi disgyn bryd hynny byddent wedi cael anafiadau difrifol, gan iddo hollti'r seddau. Trwy drugaredd ni chafodd neb niwed ond bu llawer o dynnu coes mai fi oedd ar fai gan fy mod wedi gweiddi gormod wrth bregethu ar y nos Sul!

Mwynheais fy hun ym Mrynaman yn fawr iawn oherwydd roedd y bobl yn werinol a chynnes iawn eu hanian. Buom fel teulu wrth ein boddau yno. Ni allwn fod wedi cael gwell lle i fwrw fy mhrentisiaeth. Roedd brawdoliaeth dda ymysg y gweinidogion, ac roedd chwech ohonom yn gwasanaethu yn y pentref ar y pryd. Roedd y Parchedig Dafydd Owen yn brifardd ac yn byw ym mans Gibea gyferbyn â'n tŷ ni. Enw'r mans oedd Erw Fair ac roedd yn hen gartref i'r Parchedig Gerallt Jones, tad Dafydd Iwan, Huw Ceredig, Alun Ffred ac Arthur Morus. Yno y magwyd hwy yn blant.

Gwŷr amlwg eraill ym Mrynaman oedd y Parchedig Môn Williams, a oedd yn bregethwr o fri gyda'r Bedyddwyr, R. J. Thomas, Brian Evans, a chyfaill i mi ers dyddiau'r lofa yn y Mynydd Mawr, sef Walford Jones. Cawsom lawer o hwyl yng nghwmni'n gilydd wrth gyfarfod fore Llun cyntaf y mis i drafod llyfr neu bregeth o'n heiddo. Rhyfedd iawn yw meddwl bod chwech ohonom yn weinidogion ym Mrynaman yn y cyfnod hwnnw, ac erbyn hyn nid oes yno neb.

Un o'r pethau sydd wedi aros yn fy nghof am y pentref yw'r eisteddfod flynyddol rhwng y chwe chapel oedd yn cael ei chynnal yn y Neuadd Fawr. Byddai'r capeli yn cynnal eu heisteddfod eu hunain i ddechrau ac yna byddai'r buddugwyr yn mynd ymlaen i'r eisteddfod fawr yn y neuadd a oedd yn gallu eistedd bron i fil o bobl – ac mi fyddai'n llawn dop pob nos.

Byddai dwy ddrama yn cael eu perfformio yno ar nos Fercher ac yna dwy arall ar nos Iau. Byddai'r cystadlu yn ailddechrau ar nos Wener, am bump o'r gloch, gyda chystadleuaeth cân actol y plant lleiaf. Wedyn byddai cystadlaethau adrodd, canu, cyfansoddi penillion, gorffen limrigau ac yn y blaen hyd at ddeuddeg o'r gloch y nos. Yna byddai'n dechrau eto am ddau o'r gloch prynhawn dydd Sadwrn ac yn gorffen gyda'r corau mawr tua hanner nos. Cofiaf am Glynog Davies yn grwt 16 oed yn arwain y côr mawr yn llawn egni a brwdfrydedd a chwt ei grys yn hongian mas. Fe ddaeth yn organydd yn yr eglwys yn fuan ac mae'n arian byw tu ôl i lawer o weithgareddau'r eglwys hyd heddiw. Roedd llawer o'r bobl ifanc yn cael cyfle i fod yn gyhoeddus am y tro cyntaf a dangos eu talentau yn yr eisteddfod, ac y mae nifer ohonynt wedi gwneud enw iddynt eu hunain mewn amryfal feysydd – pobl fel y diweddar Delme Bryn Jones a Glan Davies i enwi ond dau. Cofiaf i mi dderbyn deunaw o bobl ifanc yn gyflawn aelodau un nos Sul ac yn eu plith roedd Bleddyn Jones, a aeth yn ei flaen i fod yn athro ysgol ac i chwarae yn faswr i Gaerlŷr. Cynrychiolodd y clwb mewn dros dri chant o gemau yn y saithdegau ac uchafbwynt ei yrfa'n ddi-os oedd cynrychioli siroedd canolbarth Lloegr yn erbyn Seland Newydd ym

1977. Deil yn uchel ei barch yn yr ardal ac mae unrhyw un sydd â chysylltiad â thîm enwog y Teigrod, gan gynnwys yr hoelion wyth Martin Johnson, Austin Healy, Dean Richards a Martin Corry, yn canmol y Cymro tawel, diymhongar o lethrau'r Mynydd Du. Aeth dau arall o bobl ifanc Moriah i chwarae i Abertawe wedi i mi adael, sef Royston Woodward a John Evans.

Cystadlaethau eraill rhwng y capeli yr oeddwn yn eu mwynhau, oedd y gêm griced i'r bechgyn a'r rowndyrs i'r merched y byddem ni, fel gweinidogion, yn eu trefnu yn yr haf. Roeddent yn ddigwyddiadau pentrefol braf. Byddai cwpan yn cael ei gyflwyno bob blwyddyn i'r buddugwyr. Yn y gaeaf byddem yn trefnu i fynd â'r plant i'r pwll nofio yng Nghastell-nedd ar fore Sadwrn ac yn mwynhau yn eu cwmni. Ie, atgofion melys iawn sydd gennyf am y dyddiau hynny yn fy ngofalaeth gyntaf wrth feddwl am ochr gymdeithasol y gwaith.

Roedd gen i fan mini ar y pryd ac am nad oedd Dafydd Owen yn gyrru roedd e'n dod gyda mi i ymweld ag ysbytai Treforys, Abertawe a Llanelli. Pan fyddai pobl Brynaman yn ein gweld ni'n dau yn mynd gyda'n gilydd i'r lleoedd hyn, byddent yn aml yn dweud, 'Mae fan yr iachawdwriaeth yn mynd i ffwrdd heddi eto.' Dywed Dafydd Owen, yn ei lyfr *Palu mlaen*, ei fod yn rhyfeddu fy mod i'n gallu cordeddu o amgylch yr olwyn mewn lle mor gyfyng a finnau'n chwe throedfedd a thair modfedd o daldra. Gallaf gofio mynd i Abertawe rhyw dro ac roedd Dafydd eisiau galw yn ysbyty Brynhyfryd i weld Crwys, y bardd, a oedd mewn oedran mawr, dros ei ddeg a phedwar ugain. Tra oedd Dafydd yn ymddiddan â Crwys, mi es i gael sgwrs â hen ysgolfeistr a oedd yn ddifrifol o drwm ei glyw. Ceisiais esbonio iddo yn Saesneg pwy oedd Crwys. 'All I know is that he is a proper gentleman', meddai wrthyf. Ceisiais eto a dweud, 'He is a triple national winner,' ac erbyn hyn yr oedd yn glustiau i gyd, 'Is he?' meddai, 'by jove, what is the name of the horse?'

A sôn am geffylau, cofiaf fel y byddai ceffylau'r Mynydd Du yn dod lawr o'r mynydd hwnnw i chwilio am fwyd bob nos Sul pan fyddai'n cymdogion yn rhoi eu biniau sbwriel allan wedi'r oedfa yn barod erbyn bore trannoeth. Roedd hon megis defod, gan y byddent yn cyrraedd chwap wedi wyth o'r gloch yn gyson, yn union fel petai cloc larwm o'u mewn.

Do, fe wnes fwynhau byw ym Mrynaman, hen ardal ddiwylliedig wrth droed y Mynydd Du, a phan oedd y plant yn fach byddwn yn mynd â nhw i ben y mynydd am bicnic, ac o'r copa byddwn yn edrych i lawr ar Wynfe i'r chwith a Llangadog o'n blaen a Llanddeusant i'r dde. Aros, wedyn, uwchben Tro'r Gwcw yr oedd Bois y Blacbord mor hoff o ganu amdano. Mae'r olygfa o'r fan hon yn fendigedig a'r caeau glas fel carped oddi tanoch. Yn sicr y mae'n un o'r golygfeydd harddaf yng Nghymru. Ydych chi'n cofio geiriau'r bechgyn?

Hyfryd iawn ar derfyn dydd
O hafddydd ym Morgannwg
Yw ffoi o'r dre' yng nghwmni ffrind
A mynd o wlad y mwg;

Dros y Mynydd Du o Frynaman
A mynd heibio'r grug a'r mawn,
Panorama'r meysydd ym mhobman
A sbïo'n hir dros dir difesur.
Aros ar Dro'r Gwcw am orie
A gweld Gwynfe fwyn islaw,
Pig Llyn-y-Fan yn ymestyn i'r lan
A Chastell Carreg Cennen gerllaw.

Oes y rhuthro ydyw hi
A llu o fân ofalon,
Pan fo rhuthro'r byd yn fwrn
Gwnewch siwrne fach fel hon;

Dros y Mynydd Du o Frynaman
Lle mae rhosfa'r defaid mân;
Nid oes un olygfa yn unman
Sy'n hafal iddi, rhaid trafaelu

61

Dros y Mynydd Du o Frynaman
Yna cyrraedd Gwynfe fwyn,
Aros am dro i gael golwg o'r fro,
A rhosfeio gyda'r defaid a'r ŵyn.

Digwyddiad erchyll sydd wedi'i serio ar gof bob un ohonom yw'r hyn a ddigwyddodd yn Aberfan ar fore 21 Hydref 1966, pan lithrodd tip gwastraff glo a chladdu ysgol Pantglas a nifer o dai cyfagos oddi tano. Bu farw 116 o blant a 44 o ddynion a gwragedd yn y drychineb honno. Roedd David a Mary, sef brawd a chwaer a oedd yn byw yn ein stryd ni, yn perthyn i rai o'r plant a gollodd eu bywydau ac anghofiaf i byth mo'u gofid a'u galar. Aeth y newyddion am yr erchylltra hwn ar draws y byd, gan gyffwrdd â chalonnau pobl ymhob man.

Wedi'r drychineb honno penderfynodd y llywodraeth gael gwared ar y tipiau glo i gyd, ac yn eu lle bellach fe welir mannau chwarae ar gyfer plant, neu adeiladau a pharciau busnes megis yr un sydd yn Cross Hands. Ceir hefyd barciau a choed hardd ar aml hen safle glo ac o ganlyniad fe ddaeth y gwyrddni yn ôl i nifer o ardaloedd, a gall pobl hyd yn oed bysgota unwaith yn rhagor yn yr afonydd gerllaw lle y bu'r tomennydd gynt.

Roedd pobl Brynaman yn bobl werinol iawn, yn ddosbarth gweithiol go iawn, ac ymhyfrydent yn eu tras a'u hetifeddiaeth. Clywais am wŷr enwog y bu iddynt gysylltiad â'r ardal yn y dyddiau a fu, megis Watcyn Wyn, Gwydderig, W. D. Lewis y cerddor a Henry Jones yr athronydd enwog.

Euthum i Frynaman yn olynydd i'r Parchedig Eirian Davies a oedd wedi symud i'r Wyddgrug. Roedd ef yn feirniad eisteddfodau ac yn awdur toreithiog, ac fe allai fod wedi ennill y Goron neu'r Gadair yn 'y Genedlaethol' pe bai wedi rhoi cynnig arni. Cofiaf iddo ddweud wrthyf fod un o'i aelodau ym Moriah wedi mynd i ymweld ag ef un tro pan oedd yn sâl yn yr ysbyty yn Nhreforys. Aeth â llyfr iddo gael ei ddarllen, i dreulio'r amser fel petai, ac meddai wrtho: 'Mae'n flin iawn gennyf Mr Davies nad Beibl yw hwn ond llyfr ar rygbi'. 'O', atebodd yntau, 'Peidiwch â phoeni Mrs Jones, mae *conversion* yn y ddau!'

Mae yna nifer o hanesion diddorol am Eirian yn ystod dyddiau'r coleg, fel y gŵyr y cyfarwydd. Nid oedd yn gwisgo ar gyfer y pulpud, a dweud y lleiaf, ac fe fyddai hyn yn peri gofid i'r selogion slawer dydd. Gŵyr llawer ohonoch sy'n ymddiddori ym myd llên am ei briod dalentog a galluog, Jennie, a oedd mor uchel ei pharch ymhlith pawb a gafodd y fraint o'i hadnabod. Mae yna goffadwriaeth haeddiannol iddi ym mro ei mebyd yn Llanpumsaint, gan gymaint fu ei chyfraniad fel golygydd *Y Faner*, a'i chyfraniad yn gyffredinol i fyd crefydd, llenyddiaeth a gwleidyddiaeth.

Rwy'n hoff iawn o'r stori amdani pan oedd ym Mrynaman tua diwedd y pumdegau, yn sefyll fel ymgeisydd seneddol dros Blaid Cymru yn erbyn Hopkin Morris, y Rhyddfrydwr. Roedd hi'n siarad yn y mart yng Nghaerfyrddin ar brynhawn dydd Mercher, a gwaeddodd rhyw wag ar ei thraws o gefn y dyrfa, 'Pwy sy'n mynd i edrych ar ôl y plant pan fyddwch chi yn San Steffan?' 'Hopkin Morris', meddai hi, fel ergyd o ddryll!

Un arall o wŷr amryddawn Moriah oedd Elfyn Talfan Davies, cyfarwyddwr Gwasg y Dryw yn Llandybïe ar y pryd. Roedd yn frawd i Aneirin ac Alun Talfan Davies. Bu'n gymorth mawr i mi ar y dechrau ac yr oedd yn bregethwr lleyg cymeradwy. Gweithiai'n galed o'r cychwyn cyntaf dros Blaid Cymru, a chofiaf cymaint oedd ei lawenydd pan enillodd Gwynfor Evans sedd Caerfyrddin am y tro cyntaf ym 1966.

Eglwys arall o dan fy ngofalaeth oedd Brynllynfell ym mhentref Cwmllynfell, ddwy filltir o Frynaman i gyfeiriad Cwm-twrch. Roedd nifer o'r aelodau yn yr eglwys hon yn lowyr, fel yr aelodau ym Mrynaman, ac felly roedd hi'n hawdd iawn i mi deimlo'n hollol gartrefol yn eu plith. Uwchben y pulpud yn y capel mae llechen sy'n coffáu W. P. Jones, cyn-fugail yr eglwys am bum deg o flynyddoedd. Mor aml y gwelid pobl yn marw yn yr harnais, fel petai, yn y cyfnod hwnnw. Ond yn ôl y *Guinness Book of Records*, y mae'r record am y fugeiliaeth hiraf erioed yn eiddo i Bartholemew Edwards a wasanaethodd gyda'r Anglicaniaid yn Norfolk o 1813 hyd 1889, sef cyfnod o 76 o flynyddoedd.

Os oedd ym Moriah, Brynaman, bron ddau gant o aelodau, ychydig dros gant oedd ym Mrynllynfell, ac roedd disgwyl i bob gofalaeth fod o gwmpas tri chant o aelodau i allu cynnal gweinidog. Roedd nifer o gymeriadau diddorol ymhlith fy nghynulleidfa. Cofiaf am un gŵr ffyddlon o'r enw Brinley Williams a fynychai'r oedfa hwyrol. Yr oedd wedi colli ei olwg oherwydd damwain dan-ddaear ac yr oedd yn dod i'r cwrdd ym mraich ei briod â rhwymyn dros ei ddau lygad. Cafodd fywoliaeth yn torri blociau coed tân a mynd â nhw ar ei gart a'i geffyl o amgylch y pentref i'w gwerthu. Doedd dim angen dweud wrth y ceffyl lle i aros, oherwydd yr oedd yn gwybod o flaen llaw.

Cymeriad arall a ddaw i'r meddwl oedd y glöwr o waith Abernant, Vincent Thomas. Roedd yn arweinydd y gân yn y capel ac yn arweinydd cymanfaoedd canu yn yr ardal. Cofiaf am ei briod, Anetta, yn casglu rhyw ddeg ar hugain o blant y pentref at ei gilydd ac wrth i mi nesáu at y pentref yn y car i fynd i'r Band of Hope un noson niwlog, y peth cyntaf a welais oedd Anetta yn ei wellingtons yn martsio'r plant dros y bont tuag at y capel. Doedd y tywydd ddim yn esgus dros beidio â mynychu cyfarfodydd!

Cymeriad diddorol arall yn y gynulleidfa yno oedd Mrs Mary Ann Evans, Cefnbrynbrain. Pwy yn y byd heddiw fyddai'n trefnu trip Ysgol Sul i blant ac yn mynd â nhw mewn lorri i hel cnau dros y Mynydd Du, ac yna'n galw am ysbaid y tu allan i dafarn Pont Aber. Wrth i'r plant fwynhau ar y *swings*, byddwn i'n mynd am dro. Ond meddyliwch am y sioc a gefais un tro o edrych yn ôl a gweld Mary Ann yn eu martsio nôl mewn i'r dafarn. 'Beth yn y byd rych chi'n meddwl bydd rhieni'r plant ma'n dweud amdanon ni Mary Ann?' gofynnais iddi. 'O, ma popeth yn iawn Jenkins, ma syched ar y plant bach!' oedd ei hateb.

Braint oedd cael bod yn weinidog yn yr eglwys hon hefyd am chwe blynedd. Gwnes fy ngorau i bregethu'r gair a bugeilio'r aelodau a chael croeso mawr ar yr aelwydydd a chefnogaeth dda gan y

Ar daith yng ngwlad Belg ym 1951

Dyweddïo gydag Elizabeth yn Ninbych-y-pysgod ym 1956

Gydag Iwan ac Aled yng ngardd Pen-twyn ym 1968

Yn barod i ymarfer y tu allan i Pen-twyn Cottage

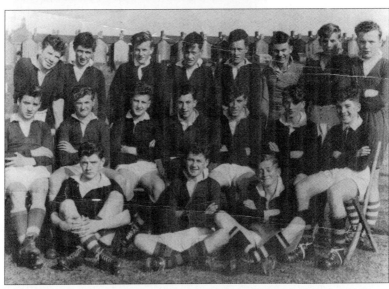

Tîm bechgyn ysgolion y Mynydd Mawr
Fy mrodyr, Glyn ac Elvet (Rhes gefn, pedwerydd a'r pumed o'r chwith)

Paratoi at wynebu Seland Newydd ar Barc y Strade ym 1953

Derbyn *blazer* Clwb Rygbi Llanelli ar ôl chwarae 30 o gemau, yn ugain oed

Y tymor cyntaf i Lanelli, 1954-55
(chweched o'r chwith yn y rhes gefn)

Tîm XV Abertawe, 1955-56
(trydydd o'r chwith yn y rhes gefn)

Tîm Abertawe yn gadael gorsaf Abertawe ar daith i Ogledd Lloegr a'r Alban, Ionawr 1956

Tîm Cymru a chwaraeodd yn erbyn y Llewod ym 1955

P.M. Davies   H. Morgan   T. Brewer

M. Davies   B. Meredith   R. Prosser

J. Collins   C. Ashton   A. Forward   L. Jenkins

B. Sparks   J.E. Jenkins   G. Hughes   C. Meredith

XV Cymru yn erbyn y Llewod Prydeinig, Parc yr Arfau, Hydref 1955

Chwarae yn y Rhondda yn y prawf cyntaf dros Gymru, Tachwedd 1955

75th ANNIVERSARY

WELSH RUGBY UNION
1880   1955

ICH DIEN

A WELSH XV

v

A LIONS XV

Cardiff Arms Park

SATURDAY 22nd OCTOBER

1955

OFFICIAL PROGRAMME
ONE SHILLING

Gwthio fy ffordd dros y llinell i sgorio cais yn erbyn Penarth, 1956

Abertawe yn erbyn y Barbariaid yn San Helen, ar ddydd Llun y Pasg, 1956

Rhedeg am y pyst i sgorio cais

Tîm Abertawe yn erbyn Rwmania, Medi 1956

Coleg Trefeca

Y Coleg Diwinyddol, Aberystwyth

Myfyrwyr a staff y Coleg Diwinyddol, 1962

Elizabeth, gydag Iwan, ar y prom yn Aberystwyth ym 1964,
ar ddiwedd fy nghyfnod yn y Coleg

blaenoriaid. Mae nifer ohonynt yn dal yn fyw heddiw ac maent wedi rhoi gwasanaeth oes i'r capel. Dau ohonynt yw Hywel Williams, a fu'n arweinydd y gân, a Nanda, ei briod, a wasanaethai wrth yr organ. Y mae'r achos yn ffodus iawn y dyddiau hyn o gael gwasanaeth Euros Jones Evans a'i briod, Pat, sy'n gweithio mor galed fel athrawes yn yr Ysgol Sul. Diolch, hefyd, am Darren Cole, ysgrifennydd cyhoeddiadau'r eglwys a chyn-chwaraewr i dîm rygbi Abertawe. Oherwydd eu hymroddiad hwy a'u tebyg mae'r dystiolaeth a'r etifeddiaeth yn dal yn fyw.

Aelwyd gynnes ac iddi naws efengylaidd oedd yno, a hir yr erys yn fy nghof. Ond daeth yn amser ymadael â hen bentref annwyl Brynaman a symud i dref glan môr Aberystwyth, i wlad y Cardi.

ABERYSTWYTH

Anodd oedd ffarwelio â phobl ac ardal y gweithfeydd glo a symud i fyw i Elm Bank ar hewl Llanbadarn, Aberystwyth. Roedd hi'n anoddach fyth i'r plant, sef Iwan, Aled ac Emyr, nag ydoedd i Elizabeth a minnau a bu hiraeth mawr arnynt am gyfnod am eu ffrindiau ym Mrynaman. Ond wedi tymor yn yr ysgol elfennol fe setlon nhw'n dda ac roeddent wrth eu bodd yn eu cartref newydd.

Roedd eglwys y Tabernacl yn Aberystwyth yn adnabyddus iawn yn y Cyfundeb ac roedd yn gyfoethog yn ei thraddodiad. Roedd dynion galluog ac amlwg wedi bod yn aelodau ynddi ac yr oedd yr eglwys wedi cyfrannu'n fawr at fywyd ysbrydol y dre – a'r genedl. Bu arweinwyr o fri yn weinidogion a lleygwyr ynddi a chyda chefnogaeth yr aelodau roedd grym i'r dystiolaeth Gristnogol. Roedd capel y Tabernacl yn un hardd dros ben, wedi ei gynllunio yn null pensaernïol Lombardo, cerflunydd a phrif bensaer cyfnod y Dadeni yn yr Eidal yn y bymthegfed ganrif. O'r tu allan i'r capel yn Stryd Powell mae cofeb ryfel hardd wedi'i chynllunio gan Mario Rutteli, cerflunydd enwog arall o'r Eidal. Un o ogoniannau'r capel oedd yr organ ddrudfawr a adeiladwyd gan gwmni enwog Harrison & Harrison, a phan ymwelodd yr organydd enwog, Albert Schweitzer, â'r dref bu'n canmol godidowgrwydd yr offeryn hwn.

Mae Dr Moelwyn Williams wedi ysgrifennu hanes yr achos o 1785 hyd at 1985 ac mae'r Dr Huw Owen yn sôn am y Tabernacl yn ei lyfr, *Capeli Cymru*, a gyhoeddwyd yn 2005. Bu'r ddau ohonynt yn flaenoriaid gweithgar yn yr Eglwys.

Roedd y capel, sy'n eistedd mil o bobl, bron yn llawn adeg fy sefydlu yno ar y 30 Medi 1970, ond mae nifer o'r cyfeillion a gymerodd ran yn y gwasanaeth hwnnw, ynghyd ag eraill a oedd yn bresennol, wedi ymadael â'r fuchedd hon bellach. Digwydd newid pulpud gyda'r diweddar Barchedig T. J. Davies a wneuthum un dydd Sul. Aeth yntau i bregethu i Gyrddau Mawr Moriah ar adeg pan oedd eglwys y Tabernacl yn chwilio am weinidog ar ôl ymddeoliad y Parchedig J. E. Meredith. Oni bai ein bod wedi cyfnewid pulpudau ar y Sul arbennig hwnnw, pwy ŵyr a fyddwn wedi cael galwad i Aberystwyth ai peidio?

Mor ddyledus, yn wir, y bûm i T. J. Davies gydol fy ngweinidogaeth, yn rhinwedd ei gwmnïaeth a'i gyfeillgarwch diffuant. Pwy, yn wir, na all gofio am ei gyfraniad cyfoethog i'r dystiolaeth Gristnogol yng Nghymru gydol ei oes? Gŵr goleuedig ydoedd, yn frwd dros ei Arglwydd, ac yn ŵr a ddefnyddiodd ei holl dalentau athrylithgar i gyflawni gwaith y Deyrnas.

Fodd bynnag, ysgrifennodd Ifor Davies, un o'r aelodau, gywydd i'm croesawu i'r eglwys ac fe'i cyflwynwyd yn yr oedfa gan y Parchedig T. J. Davies:

Rhown groeso llawen heno
Yr un torf dan yr un to
I ŵr ifanc a mawr afiaith,
Chwarae teg ar ddechrau taith,
Hendre ysgol a choleg
A nawdd torf y dyddiau teg;
Mawr ei ddawn ym more'i ddydd
A chawn hi ar ei chynnydd.

Ŵr tal a chwaraewr teg
Ni chwynir am ychwaneg,
Oliath yw, dwylath o ŵr,
Gwae un ddechreuo gynnwr',
O foddio'r oll ni fydd raid
I herio y blaenoriaid,
Ŵr a'i hud ar barc Strade
A gorau dawn gwŷr y de.

Hawliai ar faes Sant Helen
Ynni llanc dros linell wen,
Ail sgorio'r trei'n y seiad
Mewn hwyl ar y promenâd.
Hwyl frawd i gapel o fri
Yn oriel yr hen gewri,
Dewr y deil y mynd a'r dod
Yn eglwys fyw a hyglod,
Rhodded Iôn o'i dirioni
Ei nawdd a'i wên iddi hi
A'i rhan hi rhoddi yn rhwydd
Orau'i heurglod i'r Arglwydd.

I chwi da iechyd a hwyl
Arhosiad yn eich preswyl,
Hedd a mawl blynyddoedd mwyth
O osteg yn Aberystwyth.

Roedd nifer yr aelodau ar yr adeg honno tua phum cant, a byddai tua chant a hanner yn mynychu'r oedfa hwyrol yn rheolaidd. Roedd Ysgol Sul y plant wedi darfod yno ond trwy ymdrechion dygn Enid Phillips a aeth allan megis 'i'r priffyrdd a'r caeau' i gasglu ei phraidd, ailddechreuwyd yr ysgol a bu'n hynod lewyrchus o dan ei harweiniad hi ac Elsie Hughes. Cafwyd Ysgol Sul gref yng nghangen Ebeneser, Penparcau, hefyd, o dan ofal Rhiannon Hughes, Gwenith Davies, Megan Creunant Davies a Lilian Jenkins, a braint oedd cael tystio i'r cydweithio hapus a'r awyrgylch hyfryd a gafwyd yno bob amser.

Ar y dechrau bu eglwys y Tabernacl heb weinidog am bron i ganrif, hyd nes i Thomas Levi, a oedd o dras Iddewig, ddod yno ym 1875. Roedd ef yn adnabyddus fel awdur ac emynydd a gweithiai'n effeithiol gyda phlant. Dyma'r cyfnod pan oedd bri mawr ar y Band of Hope yn yr eglwysi ac nid syndod oedd gweld y geiriau a ganlyn wedi'u fframio uwchben drws y festri.

PEIDIO YFED DIOD FEDDWOL,
PEIDIO YMARFER GEIRIAU DRWG,
PEIDIO SMOCIO.

Roedd hefyd blác ar wal y festri yn dynodi derbyn Cyffes Ffydd y Cyfundeb ym 1823. Pan sefydlwyd fi'n weinidog yn y Tabernacl, roedd y cyfarfodydd wythnosol yn dal i fod ar ffurf seiat, cwrdd gweddi a dosbarth Beiblaidd. Roedd bri hefyd ar y cyfarfodydd diwylliadol a chofiaf i Gwenith Davies a Megan Evans ofyn unwaith, yn eisteddfod y capel, i bobl o wahanol siroedd godi ar eu traed. Pam meddech chi? Wel roedd hyn yn fodd i ddangos bod pobl o bob cwr o Gymru wedi ymsefydlu yn yr eglwys ac wedi ymdoddi i'w chymdeithas. Nid oedd hi'n union fel twr Babel yno ond yn sicr clywid acenion gwahanol ardaloedd ar wefusau cynulleidfa'r Tabernacl.

Roeddwn yn gyfarwydd ag un o aelodau'r eglwys cyn symud yno, sef Irene Williams, gwraig cyn-Brifathro'r Coleg Diwinyddol a fu'n help mawr wrth imi geisio dod i adnabod yr aelodau. Eraill y bu'n dda i mi wrthynt yn yr eglwys oedd y Parchedigion T. J. Davies, Ysgrifennydd y Gymdeithas Feiblaidd, a David Jones, enillydd Coron Eisteddfod Genedlaethol Abergwaun, 1936, a ganodd am ddioddefaint y glöwr yn ei bryddest 'Yr Anialwch'. Gwnaeth y ddau gyfraniad mawr yn y pulpud a thu hwnt. Ymhen amser cefais gwmni y Parchedigion Glyn Griffith, Llywelyn Hughes a D. J. Evans ar ôl iddynt ymddeol o'u gofalaethau, a'r Parchedig Norman Pritchard Williams a aethai allan yn genhadwr a darlithydd i Papua Gini Newydd.

Aelod diddorol a hynod alluog oedd Dr Mary Williams. Cafodd ei geni ym 1883 nid nepell o'r Tabernacl, yn ferch i'r Parchedig John Williams, Canan, a'i wraig, Jane, o Gaernarfon. Nid oedd hawl siarad gair o Gymraeg yn yr ysgol ddyddiol y pryd hwnnw, ond cafodd yr iaith ar yr aelwyd gartref. Yn ôl tystiolaeth ei mam, nid oedd ganddi bres i roi ym mhocedi'r plant ond roedd ganddi'r iaith i'w rhoi ar eu gwefusau. Cofiai am ei thad yn cerdded milltiroedd i gadw cyhoeddiad ar ambell Sul. Byddai'n gadael Aberystwyth yn gynnar iawn yn y bore er mwyn cyrraedd capel Pontarfynach erbyn oedfa'r bore a oedd yn dechrau am 10 o'r gloch. Yna, byddai'n cael cinio yn y tŷ capel cyn cerdded i lawr i gapel Cwmystwyth, tair milltir i ffwrdd, erbyn oedfa 2 o'r gloch. Wedi cael te yn y tŷ capel yno, cerddai i fyny i'r oedfa am 6 o'r gloch ym Mhontarfynach ac yna cerddai yn ôl i Aberystwyth. Dyna daith o ryw 30 milltir yr oedd yn well ganddo'i cherdded na chysgu mewn gwely dieithr, oherwydd credai i'w fab farw o ganlyniad i gysgu mewn gwely llaith.

Wedi i Mary Williams raddio mewn Ffrangeg ac Almaeneg a chael gradd dosbarth cyntaf yn y Brifysgol yn Aberystwyth, cafodd gymrodoriaeth i fynd i'r Sourbone ym Mharis i ennill ei doethuriaeth. Cofiaf hi'n dweud wrthyf ei bod wedi mynd i fyny mewn awyren pan oedd hi ym Mharis ym 1911, a gofynnais iddi: 'Onid oedd ofn hedfan arnoch yn y dyddiau cynnar hynny?' 'O na,' meddai, 'roeddwn yn rhy ifanc o lawer i ddeall ofn'. Wedi iddi ddychwelyd o Ffrainc bu'n darlithio yng ngholeg King's yn Llundain. Ceisiodd wedyn am gadair athro Ffrangeg yng Ngholeg Prifysgol Abertawe. Ni roddodd ei bryd ar gael ei phenodi oherwydd gwyddai mai peth anarferol iawn fyddai penodi gwraig i'r cyfryw swydd yn y dyddiau hynny. Ond bu ei chais yn llwyddiannus gan ei gwneud y ddynes gyntaf i ddal Cadair Prifysgol yng Nghymru, os nad y gyntaf ym Mhrydain Fawr. Bu yno o 1921 i 1947, yn hynod effeithiol a dylanwadol yn ei gwaith fel y tystia un o'r neuaddau preswyl a enwyd ar ei hôl, sef Neuadd Dr Mary Williams. Priododd â Dr Arbour Stephens, a oedd yn feddyg yn y dref, a diddorol sylwi mai ei thad yng nghyfraith oedd rheolwr olaf carchar Caerfyrddin, lle mae neuadd y sir heddiw.

Aelod adnabyddus yn yr eglwys oedd Gwenallt, ond ni chefais y fraint o'i adnabod oherwydd yr oedd wedi marw ychydig amser cyn i mi ddechrau yno. Fodd bynnag, roedd yn bresennol mewn oedfa yn Ebeneser pan oeddwn yn pregethu yno fel myfyriwr, ac fe ddaeth ataf ar ôl yr oedfa i fynegi ei werthfawrogiad, fel yr arferai wneud â phob cennad arall. Yn ôl y Parchedig J. E. Meredith yn ei lyfr,

Gwenallt: Bardd Crefyddol, ef oedd bardd Cristnogol mwyaf Cymru ers dyddiau William Williams, Pantycelyn ac Ann Griffiths.

Cefais groeso cynnes bob amser gan ei briod, Nel, ar ei haelwyd yn Rhyd-y-môr, Ffordd Rheidol, Penparcau a braint oedd cael dewis rhai trysorau o'i lyfrgell werthfawr. Bu farw Nel yn ddiweddar yng nghartref ei merch, Mair, yn Llan-non, ac roedd o fewn dim i ddathlu ei phen-blwydd yn gant oed. O edrych ar lyfrgell fawr Gwenallt hawdd gweld ei fod wedi astudio gwaith ysgolheigion mwyaf ei ddydd mewn sawl maes.

Roeddwn yn gwerthfawrogi'r fraint o gael rhan fechan mewn cyfarfod i ddadorchuddio plac coffa i Gwenallt yn ei gartref ar ddydd Sadwrn, 15 Mawrth 1997. Cafwyd anerchiad gan yr Athro Ifor Enoch, yr Athro Derek Llwyd Morgan a'r Athro Hywel Teifi Edwards, sy'n nai i Gwenallt. Bu Mr Roger J. Williams, sef cyn-Gyfarwyddwr Addysg Ceredigion hefyd yn annerch, ynghyd ag Islwyn Ffowc Elis ac eraill ym Mhlas Antaron wedi hynny.

Yr ochr draw i'r Mans yn Hewl Llanbadarn roedd Helen Owen a'i phriod, Gwyn, yn byw. Roeddent hwy, hefyd, yn aelodau yn y Tabernacl. Roedd teulu Helen yn adnabyddus iawn oherwydd bod ei thad, sef Dr John Roberts, gweinidog eglwys Pembroke Terrace, Caerdydd, yn amlwg yn llysoedd y Cyfundeb. Roedd yn bregethwr ac yn ddarlithydd poblogaidd ac ef yn fwy na neb oedd yn gyfrifol am sefydlu cronfa gynnal y weinidogaeth er mwyn sicrhau bod pob gweinidog yn cael cyflog teg a'u bod yn cael eu talu'n rheolaidd yn fisol. Ond yn rhyfedd iawn, nid oedd pawb yn croesawu'r arferiad newydd hwn yn ôl Helen. Bu ei brawd, John, a aeth i'r weinidogaeth a'i brawd William, a fu'n gweithio fel aelod o staff papur newydd y *Western Mail*, yn chwarae rygbi yn erbyn ei gilydd yn yr *Inter-Varsity* – John i Gaergrawnt a William i Rydychen. Chwaraeodd John i glwb Caerdydd a thros Gymru dair ar ddeg o weithiau, fel asgellwr yn bennaf o 1927 i 1929, cyn iddo fynd allan i Tsieina yn genhadwr. Mae Cynan wedi canu'n fendigedig iddo yn ei bryddest fuddugol, 'Y Dyrfa', a sicrhaodd iddo'r Goron ym Mangor ym 1931. Fe'i darlunnir yn mynd ar fwrdd y llong i'r wlad honno gan droi ei gefn ar enwogrwydd a bri:

Fe ddaeth yr atgof eto'n glir
Megis o'r môr ar lam
Y dydd y cyrchais dros y lein
Â'r bêl yn Twickenham;
Heb glywed dim ond rhu y Dorf
Yn bloeddio'i deublyg nwyd,
Heb weled dim ond lein y gôl,
A'r llif wynebau llwyd.

. . . Gwyddwn fod Siencyn yn y Dorf
Yn rhywle, – Siencyn Puw,
'Rhen ffrind o Donypandy ddu
A ganai fawl i Dduw
Ar ddim ond seithbunt yn y mis,
A phump neu chwech o blant
I'w magu ar hynny. – 'Roedd hen nwyd
Y bêl yng nghalon sant
Wedi ei dynnu i fyny i'r Dre,
Er bod y cyrddau mawr
Yn Libanus, a 'hoelion wyth'
O'r 'North' yn dod i lawr.

Siencyn, a ddysgodd daclo im
Pan own i'n Libanus
Yn 'stiwdent' ar fy mlwyddyn braw
Mewn dygn ofn a chwŷs;
Siencyn, a ddaeth i'm gweld am sgwrs
A 'mwgyn' wedi'r cwrdd,
A gwraig tŷ'r capel bron cael ffit
Wrth glywed hyrddio'r bwrdd,
Tra dysgai Siencyn im pa fodd
Y taclai yntau gynt,
Cyn i'r Diwygiad fynd â'i fryd
A'r *asthma* fynd â'i wynt.

Enw adnabyddus arall a ddaw i gof yw Goronwy Rees, cyn-Brifathro Coleg Prifysgol Cymru Aberystwyth. Roedd ei dad, y Parchedig R. J. Rees, wedi bod yn weinidog y Tabernacl, a phan fu farw Goronwy Rees ym 1979 fe ddaeth cwmni teledu i wneud rhaglen amdano. Nid oedd hyn wrth fodd calon pawb ar y pryd oherwydd roedd yn gymeriad dadleuol ymhlith cyhoedd y Tabernacl. Credai rhai nad oedd wedi rhoi ei lle haeddiannol i'r Gymraeg yn y coleg ac roedd eraill yn tybio ei fod yn rhoi gormod o ryddid i fyfyrwyr gan eu trin fel petaent yn gyfartal ag ef yn hytrach na chynnal y 'status quo'. Bu'n gweithio ym Merlin am gyfnod ac yno byddai mewn cysylltiad â rhai o ysbiwyr nodedig Rwsia, pobl fel Kim Philby, Guy Burgess, Donald McLean ac Anthony Blunt. Credai'n bendant mai Stalin oedd yr unig un a allai rwystro Hitler ac felly fe'i dadrithiwyd yn llwyr pan luniwyd cytundeb rhwng y ddau ym 1939. Aeth at yr M16 oherwydd credai fod Burgess yn peryglu ei fywyd, a dioddefodd yn enbyd o ganlyniad i'r cyfnod cythryblus hwn. Gorfu iddo ymddiswyddo o'r coleg yn y pumdegau, a dioddefodd o ran ei iechyd wedi hynny. Blynyddoedd anodd a thywyll oedd ei flynyddoedd olaf a theimlai iddo golli ffrindiau a fu yn hynod bwysig iddo wedi'r cyfan. Gwelwyd gofidiau'r blynyddoedd yn drwm arno yn y saithdegau, ac fel ei dad o'i flaen a fu'n achos rhaniad yn yr eglwys pan ddangosodd ei ochr yn y ddadl rhwng Lloyd George ac Asquith, gwyddai Goronwy hefyd am unigrwydd yr anialwch. Ie, dadlennol iawn yw'r ddwy gyfrol o hunangofiant a ysgrifennwyd ganddo, sef *A Bundle of Sensations* ym 1960 ac *A Chapter of Accidents* ym 1972.

Mae pob person yn bwysig, wrth gwrs, ac mae gan bob person ei stori. Un o'r personau diddorol hynny a ddaeth i fyw yn Llanbadarn yn yr un cyfnod â ninnau oedd Dr John Richards a fu'n Esgob Tyddewi. Yn wir, roeddem yn gymdogion i'n gilydd. O Lanbadarn Fawr y deuai'n wreiddiol ac felly roedd ef yn dychwelyd at ei hen wreiddiau wrth ddod yn ôl i'r ardal. Yn ei flynyddoedd cynnar yn yr offeiriadaeth bu'n gwasanaethu ac yn cynorthwyo'r Esgob yn Tehran, a bu ei wraig yn gweithio fel meddyg yn yr ysbyty yno.

Roedd y Mwslemiaid yn ddig iawn wrth y Cristnogion a chafodd ei fygwth lawer tro wrth deithio i bentrefi i efengylu. Ond roedd yn benderfynol o bregethu'r Gair ac fe'i harbedwyd rhag unrhyw gam.

Roedd ganddo nifer o storïau am y natur ddynol. Pan oedd yn Esgob Tyddewi ac yn byw yn y Palas yn Abergwili, roedd ganddo yrrwr modur o'r enw Dan, os cofiaf yn iawn. Un prynhawn, roedd eisiau mynd i ymweld ag eglwys fach allan ym mherfeddion y wlad, a gofynnodd ei wraig iddo ddod â phwys o gig moch yn ôl gydag ef o'r siop. Yn ôl yr hanes, pan aeth Dan i'r siop i mofyn y neges, sylwodd y cigydd bod yr esgob yn y car ac allan ag ef fel bollt gan ddweud mewn geiriau dethol: 'Rwy'n deall, Esgob, eich bod eisiau pownd o facwn. Clywch, dim ond i chi symud y b**** ficer sy' ma nawr, fe roddaf fochyn cyfan i chi am ddim!'

Un arall o gymeriadau lliwgar y dref oedd Margaret Evans, gwraig Tom Evans a oedd yn newyddiadurwr gyda'r BBC. Roedd Margaret yn Ynad Heddwch ac yn ddynes hollol ddiragfarn ei safiad. Mae nifer o bobl wedi elwa dros y blynyddoedd o'i hymdrechion hi dros wahanol achosion a neb yn fwy nag Ysbyty'r Henoed ar Hewl y Gogledd, Ysbyty Bronglais a Chartrefi Preswyl yr Henoed. Margaret a ddechreuodd Gymdeithas Cyfeillion y sefydliadau hyn a chymaint ei hymroddiad fel na fedrech wrthod unrhyw gymwynas iddi. Droeon bûm yn gyrru'r bws oedd gan Gyfeillion yr Ysbyty i fynd â'r rhai a fu'n gaeth i'w cartrefi, neu'r rhai na chaent ymwelwyr, am dro i'r prom neu i'r wlad am bryd o fwyd. Cefais lawer iawn o bleser o wneud hyn a sylweddolais mor bwysig yw cynorthwyo cyd-ddyn trwy rannu gair a gwên.

Roedd Margaret, hefyd, fel y gŵyr y cyfarwydd, yn casglu a chadw hen bethau ac *Aberystwyth Yesterday* oedd yr enw ar ei chasgliad. Roedd hwnnw'n agored i'r cyhoedd ei weld a bu'n gyfrwng i godi arian eto at achosion teilwng. Bellach, wedi marwolaeth Margaret, mae'r gwaith y bu hi'n gyfrifol am ei ddechrau wedi ei roi ar sylfaen gadarn a chyfreithiol ac mae'n cael ei redeg gan banel o swyddogion newydd sy'n codi arian sylweddol pob blwyddyn i bwrcasu deunydd angenrheidiol ar gyfer yr ysbyty.

Fel cadeirydd y pwyllgor hwn rai blynyddoedd yn ôl, cefais y fraint o gyflwyno siec o gan mil o bunnoedd i Geraint Howells fel cyfraniad tuag at y miliwn o bunnoedd yr oedd eu hangen ar yr ysbyty i brynu sganiwr newydd. Mae'r pwyllgor, hefyd, wedi gallu cyfrannu at ddarparu ystafell yn ymyl Ward Ystwyth ysbyty Bronglais, lle gall perthnasau cleifion orffwys neu aros dros nos yn ôl yr angen. Ynddi, hefyd, y cynhelir cyfarfodydd crefyddol, ac ar y mur gwelir llun er cof am Margaret sy'n arwydd o werthfawrogiad o'i holl waith da.

Roedd gwaith bugeiliol pwysig yn cael ei gyflawni hefyd gan aelodau Cymdeithas y Chwiorydd a fyddai'n cyfarfod bob prynhawn dydd Mercher yn y Tabernacl. Roedd yn hen arferiad yn yr eglwys i godi arian at wahanol achosion, a byddid yn trefnu i ymweld â chleifion gan gadw cofnod amdanynt mewn llyfr. Roedd y cyswllt hwn mor bwysig i'r rhai na fedrent fynychu'r oedfaon oherwydd henaint neu lesgedd.

Byddai'r cyfryw bobl hefyd yn mynegi eu gwerthfawrogiad o'r golofn y byddwn yn ei chyfrannu i'r papur lleol o dan y teitl 'Munud i Feddwl'. Roedd y golofn hon yn rhyw fodd ar fugeilio a byddwn yn ceisio rhannu neges bwrpasol gyda'r darllenwyr. Seiliwyd un o'r negeseuon hynny ar hanesyn bach a ddigwyddodd i mi un diwrnod pan oeddwn mewn parti yn un o westai'r dref, ac fe'i rhannaf â chi yn awr.

Daeth rhyw ŵr ataf yn y gwesty a dweud, 'Rwy'n deall eich bod yn bregethwr.' Nid wyf yn hoff o'r gair pregethwr gan ei fod yn awgrymu person sy'n cynnal monolog yn y pulpud. Gwell gennyf y gair gweinidog, oherwydd awgryma berson sy'n gwrando ac yn rhoi gwasanaeth saith diwrnod yr wythnos. Aeth yn ei flaen a dweud: 'Roedd fy nhad a mam yn bobl dduwiol, yn ffyddlon i'r capel bob amser, ond rhoddais i'r gore i fynychu'r capel pan oeddwn yn bedair ar ddeg oed oherwydd . . .' Erbyn hyn roedd fy meddwl wedi mynd ar garlam; a gwyddwn beth a ddeuai nesaf, a gwir y gair: 'Rwy'n dal i gredu serch hynny. Does dim rhaid mynd i'r capel ar y Sul i fod yn Gristion; yr hyn sy'n bwysig yw eich bod yn byw bywyd da. Peidio â thwyllo neb, helpu pobl eraill . . .' Onid oeddwn wedi clywed y ddadl hon hyd at syrffed? Nage, nage, meddyliais, dydy hyn ddim yn iawn, nid gwneud gweithredoedd da yn unig yw Cristnogaeth. Gall yr anghredadun wneud hynny. Golyga addoli, diolch, cyffesu pechodau, derbyn maddeuant. Mae'n golygu tyfu yng Nghrist, a thyfu ac estyn allan i'r byd a'i broblemau. Ac i wneud hyn mae angen cefnogaeth a chymdeithas yr eglwys i sianelu ein hymdrechion dros waith ei deyrnas Ef.

Ond roeddwn wedi dod i'r parti i fwynhau, nid i drafod, ac felly ni ddywedais ddim. Ymhen amser cododd ar ei draed, estynnodd ei law ac meddai'n gellweirus: 'Peidiwch â chael sioc os trof i mewn i wrando arnoch ryw Sul, a phwy a ŵyr na fyddaf yn ddiacon rhyw ddydd'. Gwenais innau a dymuno rhwydd hynt iddo.

Erbyn hyn roedd pobl yn ymadael ac yn ffarwelio â'i gilydd. Edrychais innau allan drwy ffenestr y gwesty a chlywais rywun yn canu corn ei fodur yn y pellter. Ac fe sylweddolais fod sŵn y corn hwnnw yn rhyfeddol o debyg i sŵn y ceiliog a ganodd y tu fas i le arall flynyddoedd lawer yn ôl. Mewn edifeirwch gwelais innau fod cyfle arall wedi'i golli.

Un o flaenoriaid Salem yr oeddwn yn ei adnabod yn dda oedd Hywel Harries. Hanai ef o'r Tymbl ac roeddwn yn gyfarwydd â rhai o'i berthnasau ers cyfnod ysgol elfennol Cwmgwili 'slawer dydd. Roedd Hywel wedi bod yn athro celf mewn ysgol uwchradd yn Aberystwyth ac roedd wedi gwneud enw mawr iddo'i hun fel arlunydd a chartwnydd Cristnogol. Gŵyr y cyfarwydd fod perthynas agos rhwng celf a chrefydd, a chyfrannodd Hywel mewn modd arbennig iawn i'r *Goleuad* ac yn ddiweddarach i'r *Cristion*. Llwyddodd i gyfleu hiwmor capel a chrefydd mewn ffordd ddiwenwyn ac fe'n dysgodd i beidio â chymryd ein hunain ormod o ddifri ac i fod yn ddigon hyderus i chwerthin am ein pennau ein hunain. Yn sicr, does dim yn well na hiwmor iach i osgoi rhyw ffug-barchusrwydd a rhyw sych-dduwioldeb sy'n gymaint rheswm pam bod pobl yn pellhau oddi wrth yr eglwys. Ni allwn anghofio ei ymagwedd ostyngedig, ei wên siriol a'i barodrwydd i helpu pawb;

cyfeiriodd ei egni droeon at gefnogi achosion elusennol mewn ffordd dawel, ddi-ffws. Mae'r gŵr byrlymus a'r blaenor da hwn wedi gadael bwlch aruthrol ar ei ôl.

Treuliais lawer o amser yn ystod blynyddoedd olaf fy ngweinidogaeth yn y dref yn ceisio uno'r capeli Presbyteraidd, oherwydd bod nifer yr aelodau'n disgyn fel ymhob man arall a bod y baich o gynnal yr adeiladau yn trymhau. Roedd dau o weinidogion amlwg y dref yn ymddeol, sef y Parchedig H. R. Davies o Salem a'r Parchedig H. Wynne Griffith o Seilo, a chan fod nifer y gweinidogion yn lleihau roedd yn rhaid ad-drefnu. Felly penderfynwyd fod y Parchedig Wynne Davies a minnau yn cydweithio ac yn rhannu cyfrifoldeb y fugeiliaeth, a phenodwyd gweithiwr plant a phobl ifanc llawn-amser, sef Siân Mosford o Goleg Rhydychen i'n cynorthwyo.

Roedd y patrwm newydd hwn o weinidogaethu yn dipyn o fenter ac nid oedd yn hawdd i bawb addasu i'w ofynion. Daeth y Parchedig Maldwyn Pryse yn olynydd i Siân ac er annog yr holl aelodau i setlo mewn un adeilad nid peth hawdd oedd eu cael i wneud hynny oherwydd bod ganddynt gysylltiadau teuluol a phersonol â'r hen adeiladau. Yn y diwedd aeth aelodau Seilo i Salem a ffurfiwyd eglwys capel y Morfa ar safle capel Salem. Ym 1989 estynnwyd galwad i'r Parchedig Pryderi Llwyd Jones o Wrecsam i'w bugeilio. Ym mhen amser codwyd Y Morlan, sef Canolfan Ffydd a Diwylliant, ar sail hen adeilad Seilo, mewn ymgais i bontio'r gagendor rhwng yr eglwys a'r gymdeithas a'r diwylliant modern. Mae'n dda meddwl bod y tri chapel, sef Tabernacl, Seilo a Salem, wedi'i huno bellach yn un eglwys a bod cydweithio hapus rhyngddynt yng ngwaith y Deyrnas. Y mae'n chwith, serch hynny, nad yw capel hardd Seilo i'w weld mwyach ar waelod Rhodfa'r Gogledd mewn lle a oedd mor ddaearyddol amlwg o fewn y dref.

Cofiaf am ddau dŵr trwm capel Seilo a adeiladwyd gan y pensaer enwog J. P. Seddon, ac a oedd yn nodwedd mor drawiadol o bensaernïaeth yr adeilad, yn cael eu tynnu i lawr. Mae'r rhai sy'n gyfarwydd â'r adeilad yn cofio'r wyneb modern newydd a wnaed o wydr ac arno'r adnod, 'Felly y carodd Duw y byd', mewn llythrennau bras. Uwchben y capel roedd symbol o waith R. L. Gapper yn darlunio colomen yn hedfan uwchlaw Beibl agored ac ar frig y tŵr roedd croes fechan a gynlluniwyd gan Dr E. M. Job, blaenor hoffus yn yr eglwys a mab yr emynydd J. T. Job. Digon rhyfedd yw'r rhan hon o'r hen dref heb adeilad Seilo. Canolfan teiars Cledwyn sy'n amlwg bellach, a hwyrach bod dameg yn hynny, oherwydd onid pobl ar olwynion ydym ni ac onid ras wyllt yw bywyd bellach i nifer o bobl?

Roedd aelodau eglwys Capel Dewi a oedd hefyd yn rhan o'r ofalaeth wedi ymuno yn rhwydd ag eglwys Saron, Llanbadarn a chadwyd at yr enw Saron. Ni welwyd bod angen newid yr enw oherwydd bod y ddwy eglwys wedi ymdoddi'n rhwydd i'w gilydd, diolch i'r ethos gwledig a oedd yn gyffredin iddynt. Roedd clwb plant llewyrchus iawn yn Saron, yn cyfarfod ar nos Wener, a chefais gymorth mawr David Greaney i arwain a Wynora Thomas i gynorthwyo'n wythnosol.

Ar un adeg credid mai Aberystwyth oedd Mecca'r Presbyteriaid, a phan ddeuthum i'r dref ym 1970 nid peth dieithr oedd gweld ymwelwyr yn cerdded ar nos Sadwrn o'r naill gapel i'r llall i ddarllen yr hysbysfyrddau i weld pwy oedd yn pregethu yno ar y Sul ac ymhle y byddai'r pregethwyr gorau. Nid oedd rhaid iddynt fynd ymhell i chwilio am yr organydd gorau gan mai Charles Clement oedd hwnnw – gŵr a oedd yn enwog drwy Gymru benbaladr.

Yr ochr arall i'r hewl o'n tŷ ni, roedd cwfaint y Catholigion a berthynai i Urdd y Carmeliaid. Roedd rhai o'r lleianod yn athrawesau yn yr ysgol ddyddiol a gynhelid yn y cwfaint. Cofiaf weld llun mawr o'r Pab Ioan XXIII uwchben y drws wrth i chi gerdded i mewn i'r adeilad. Yn ôl yr hanes, pan ofynnwyd i'r Pab hwn faint o bobl oedd yn gweithio yn y Fatican, ei ateb ffraeth oedd, 'Eu hanner nhw!' Byddai rhai o'r lleianod yn galw'n rheolaidd gyda ni yn Elm Bank i gael sgwrs a phaned a threuliais oriau difyr yn eu cwmni. Byddent yn aml yn mynd allan i weithio a helpu hen bobl yn eu cartrefi, gan wneud hynny'n gwbl dawel a di-ffws. Braint fawr oedd cael cyfnewid pulpud gyda'r diweddar Dad John Fitzgerald pan oedd yntau yn gweithio yn Aberystwyth. Cofiaf fod yr eglwys yn llawn o addolwyr, a'r rhan fwyaf ohonynt yn bobl ifanc, a dyna'r unig dro i mi dderbyn cymeradwyaeth am draddodi pregeth.

Colled aruthrol i mi ac i nifer eraill o'i gydnabod oedd marwolaeth Terry Adams yn 72 mlwydd oed, un a fu'n gyfaill oes ers dyddiau ieuenctid ar lethr Pen-twyn a phentref Capel Hendre. Roedd yn ddyn unigryw fel y tystia'r rhai a gafodd y fraint o'i adnabod – yn rhadlon a boneddigaidd o ran ei bersonoliaeth. Fe gofiwch i ni gyfarfod yn y Coleg Technegol yn Rhydaman, a rhyfedd meddwl ein bod ar un adeg wedi rhannu'r hyn a dybiem fyddai trywydd ein gyrfa gyda'n gilydd. Yn fuan wedi priodi dywedodd wrthyf ei fod yn teimlo cymhelliad i fynd i'r weinidogaeth, ac fe ddywedais innau wrtho yntau fy mod yn teimlo cymhelliad i ymuno â'r heddlu. Ond nid felly'n union y bu pethau, gan iddo ef fynd i'r heddlu ym mis Medi 1959 a minnau i'r coleg yn Nhrefeca.

Bu Terry yn plismona yn Rhydaman, Abertawe a Chaerfyrddin fel cwnstabl, ond ar ôl dod i Aberystwyth cafodd ddyrchafiad i'r CID ac yna ei benodi'n arolygydd. Bu'n flaenor yn y Tabernacl ac yn weithgar yn y gangen gyda gwaith yr Ysgol Sul yn Ebeneser, gan gyfrannu hefyd fel cyhoeddwr. Cynigiai ei wasanaeth mewn llawer cylch – fel ymwelydd cyson ag ysbytai a chartrefi cleifion, a chyn ei farw ef oedd is-gadeirydd Pwyllgor Cyfeillion Ysbyty Penglais. Ond un o'i hoff bethau fyddai canu gyda Chôr Meibion Aberystwyth. Roedd ganddo lais bariton cyfoethog ac nid gormod yw dweud bod y gân yn ei galon a'i galon yn y gân. Hoff ganddo hefyd gerdded ac ymweld â lleoedd hanesyddol, a byddai wrth ei fodd ar y cwrs golff neu'n pysgota ar lan yr afon. Roedd ei wybodaeth am adar a'u harferion yn eang ac roedd hefyd yn dynnwr coes heb ei ail ac yn byrlymu o hiwmor bob amser. Gwelai ochr ddoniol pethau ac nid oedd yn un i gymryd ei hun ormod o ddifri. Roedd yn drefnus a chymen ym mhob peth a wnâi ac ymhob swydd a ddaeth i'w ran. Pe bai wedi cael byw yn hwy byddai wedi gwasanaethu fel Llywydd

Henaduriaeth Gogledd Aberteifi, ond bu farw wedi ei benodi. Parchodd draddodiadau gorau Cymru a harddodd ei dras a'i etifeddiaeth mewn ffordd brydferth iawn.

Bu ei farwolaeth ychydig ddiwrnodau cyn dydd Nadolig 2005 yn ergyd ofnadwy i'w briod hoff Gwladys, ei fab Bleddyn ac i minnau a'i ffrindiau agosaf, oherwydd roedd wedi lledu cymaint ar ein gorwelion dros y blynyddoedd. Roedd capel y Morfa'n orlawn ar ddydd ei angladd. Talodd Pryderi Llwyd Jones, ei weinidog, deyrnged haeddiannol iddo, gan ddweud y byddai'n rhaid chwilio'n galed iawn am unrhyw fai arno. Dywed llyfr Y Pregethwr bod y sawl sydd wedi darganfod cyfaill wedi darganfod trysor. Felly y syniaf am Terry. Roedd ganddo'r ddawn i glosio at bobl ac i ennill ymddiriedaeth lwyr pawb y cyfarfyddai â hwy. Diolch i Dduw amdano, am iddo gyfoethogi ein bywydau ag atgofion amhrisiadwy y byddwn yn eu trysori am byth.

Cefais y fraint dros y blynyddoedd, tra oeddwn yn gweinidog-aethu yn Aberystwyth, o arwain nifer o deithiau i Israel. Y tro cyntaf i mi fynd yno oedd ar ddiwedd mis Gorffennaf 1974 ac roedd hi mor ddifrifol o boeth yno, yn enwedig yn ymyl y Môr Marw, fel y penderfynais yn y fan a'r lle na fyddwn byth eto yn mentro yno ar yr adeg honno o'r flwyddyn.

Taith arall sy'n mynnu aros yn y cof yw'r un ar ddechrau'r 1980au. Hawdd credu i hanner poblogaeth Aberystwyth fynd ar y daith honno, ynghyd â'r Parchedigion George Noakes, Patrick Thomas a Lyn Evans. Un diwrnod, yn ôl ein harfer, fe aethom i ymweld â rhai o leoedd hanesyddol y Beibl, a'r noson honno, yn y gwesty yn Jerwsalem, cawsom y fraint o gael ein hannerch ynglŷn â sefyllfa grefyddol a chymdeithasol y wlad gan Moshe Arron, gweinidog Tramor Llywodraeth Israel. O'i holi, gwelsom nad oedd ganddo fawr o gydymdeimlad â sefyllfa'r Palestiniaid. Er hynny, roeddem yn gallu gwerthfawrogi'r ffaith bod arweinydd mor ddylanwadol wedi trafferthu dod atom i'n hannerch, ac fe erys hynny yn y cof tra byddom.

Ar un o fryniau uchel Jerwsalem cofir am un o'r erchyllderau mwyaf yn hanes dynoliaeth. Yno gwelir Neuadd Goffa sy'n dwyn yr enw Yad Vasham – neuadd a adeiladwyd i gofio am yr Iddewon a laddwyd gan yr Almaenwyr yn yr holocost. O'i hamgylch plannwyd chwe miliwn o goed, pob coeden yn cynrychioli un Iddew a gollwyd. Y tu mewn i'r adeilad gwelsom luniau a chreiriau, dillad ac esgidiau plant a gwragedd. Eiddo pobl ddiniwed cyn iddynt fynd i'r siambrau nwy oeddent, a thystiolaeth o ddioddefaint y gorffennol.

Enw'r ffordd sy'n arwain at y neuadd hon yw 'Ffordd y Waredigaeth' ac mae coed bytholwyrdd wedi eu plannu y naill ochr a'r llall i'r fynedfa. Yn ymyl pob coeden y mae plac er cof am y dewrion hynny a fentrodd eu bywydau drwy gynnig lloches i'r Iddewon adeg yr erledigaeth ofnadwy. Ar y rhain gwelir yn yr Hebraeg a'r Saesneg y geiriau, 'Byddaf yn diolch i Dduw bob tro y byddaf yn cofio amdanoch chwi'. Profiad ysgytwol oedd gweld y cyfryw a thawel oeddem wrth rodio'r ffordd honno.

Cyn i ni ymadael ag Israel, trefnodd yr Iddewon noson lawen ar ein cyfer. Roedd y noson hon yn dilyn y traddodiad Iddewig ac wedi iddynt roi nifer o berfformiadau ar y llwyfan, daeth y nos i ben gyda dau ddyn wedi'u gwisgo mewn dillad hasidig yn perfformio dawns arbennig. Roeddent yn cloi eu breichiau dros ysgwyddau ei gilydd oherwydd bod y ddawns yn symud mor gyflym fel na fyddai'r un ohonynt yn gallu symud eu traed yn ddigon cyflym heb golli balans. Dim ond pan oeddent yn cynorthwyo'i gilydd y gallent wneud y symudiadau a oedd yn osgeiddig a phrydferth anghyffredin. Onid oes gwers yn y fan hon o'r hyn y gallai bywyd fod petai pawb yn cynorthwyo'i gilydd?

Mae'n rhaid i mi gyfeirio at y daith olaf a wnes i Israel. Roeddem wedi teithio un diwrnod i lawr o Galilea, heibio Jerwsalem, a thrwy Negev i dref newydd Eilat a saif yn ymyl y Môr Coch. Drannoeth, aethom ymhell i ganol anialwch Seinai i weld llyfrgell sy'n dyddio yn ôl i'r ail ganrif Oed Crist. Dywed traddodiad mai yn agos i'r lle hwnnw y cyhoeddodd Moses y deg gorchymyn. Wrth groesi'r ffin i'r Aifft roedd yn rhaid dangos ein trwydded i'r Eifftiwr a safai yno. Edrychai'n ddifrifol arnom – rhyw olwg oeraidd yn llawn casineb.

Profiad annymunol oedd hwn i rai ohonom, ond i eraill testun tosturi oedd y gŵr trist ac anhapus hwn. Nid oeddwn wedi gwneud y daith hon o'r blaen ac ar y ffordd nôl cawsom ysbaid yn Jerwsalem. Yr oeddwn wedi bod i Fynydd yr Olewydd ar un o'r teithiau blaenorol ac roeddwn yn awyddus i weld unwaith eto'r eglwys lle mae Gweddi'r Arglwydd i'w gweld yn y Gymraeg. Ond er mawr siom i ni roedd y lle ar glo. Wedi cyrraedd yn ôl i'r gwesty holais y milwyr a oedd hi'n ddiogel i ni fynd drannoeth i Fethlehem sydd ar y banc Gorllewinol. Fe'm sicrhawyd ei bod yn hollol ddiogel i ni fynd yno, ond pan oeddem i gyd yn eistedd yn gyfforddus yn y bws ar y ffordd i lawr i Fethlehem, dyma garreg yn cael ei thaflu a sŵn dychrynllyd ffenestr y bws yn cael ei thorri'n deilchion. Roedd hyn yn dipyn o sioc i'r gyrrwr ac i bob un ohonom, ac fe wasgodd y sbardun yn galed er mwyn cyflymu ein taith am chwarter milltir a'n symud i fan mwy diogel. Doedd neb wedi cael niwed difrifol, dim ond dwy wraig ag ychydig o waed ar eu dwylo. Ar ôl cyrraedd Bethlehem deallwyd bod emosiynau a thensiynau'r Arabiaid yn uchel y diwrnod hwnnw, oherwydd bod milwr Iddewig wedi saethu bachgen Arabaidd un ar hugain oed yn farw am iddo daflu bom llosg at un o'i gyd-filwyr. Bachgen bach deng mlwydd oed a daflodd y garreg at ein bws ni.

Cyfeiriaf at un daith fach arall ac un digwyddiad arall yng ngwlad Groeg, ym 1976. Roeddwn wedi bod wrth droed mynydd Olympia yn gweld seremoni ddiddorol ar olion Teml Zews, sef seremoni cynnau ffagl dân, yn ôl yr hen draddodiad, cyn iddi ddechrau ar ei thaith i Montreal ar gyfer y Gemau Olympaidd y flwyddyn honno. Yr oeddwn hefyd wedi bod yn Athen yn gweld y Parthenon sy'n ein hatgoffa am fawredd yr oesoedd a fu gannoedd o flynyddoedd cyn Crist. Mae yna ddarn o graig yn is i lawr yn y fan honno a oedd yn nyddiau Paul yn cael ei galw yn Areopagus, neu Fynydd Mars, lle'r oedd y Groegiaid yn ymgasglu i glywed darlith neu bregeth. Wrth gerdded i lawr gofynnais i'r grŵp eistedd ar y meini yn y lle hwn. Ar y graig roedd plac yn dynodi testun pregeth yr Apostol Paul, ac fe ddarllenais y bregeth honno i'r fintai fel y'i ceir yn yr ail bennod ar bymtheg o lyfr yr Actau. Ymdeimlai pob un ag awyrgylch hynod y lle a gwrandawent yn astud. Pa effaith, tybed, a gafodd pregeth yr Apostol Paul ar ei gynulleidfa ddwy fil o flynyddoedd yn ôl? Go brin i'r un ohonynt sylweddoli eu bod yn gwrando ar athrylith a phregethwr mwyaf yr oesau yn sôn am y Duw nad adwaenent, y Duw a anfonodd ei fab, Iesu Grist, i'r byd i fyw a marw drostynt ac atgyfodi er mwyn sicrhau eu hiachawdwriaeth. Mae lle i amau mai rhywbeth tebyg yw'r ymateb o hyd i neges y newyddion da o lawenydd mawr, rhai'n credu, eraill heb gredu a rhai'n ei gadael tan y dydd yfory cyn penderfynu.

Pan oeddwn yn 65 oed ym 1998, daeth yr amser i ymadael ag Aberystwyth wedi cyfnod o wyth mlynedd ar hugain hapus yno. Cynhaliwyd nifer o gyfarfodydd ymadael a chyflwynwyd anrhegion i Elizabeth a minnau fel arwydd o werthfawrogiad o'n gwasanaeth. Yn fy nghyfarfod olaf yn yr Henaduriaeth, dywedodd y Parchedig Pryderi Llwyd Jones, wrth ddymuno'n dda i mi, fy mod wedi pregethu dros bedair mil o bregethau yn yr Henaduriaeth ond nad oedd pob pregeth yn newydd – eitha gwir! Nid oedd llunio pregethau wedi dod yn rhwydd i mi erioed, a chofiaf yn dda eiriau yr Athro Buick Knox wrthym ni'r myfyrwyr yn y coleg Diwinyddol slawer dydd: 'Don't forget boys, it is 90% perspiration and 10% inspiration'.

Erbyn hyn roedd ein tri mab wedi hen adael eu colegau ac wedi setlo i lawr yn eu swyddi. Roedd Iwan, yr hynaf, wedi cwblhau gradd uwch ac yn gweithio yn adran sain a chlyweled y Llyfrgell Genedlaethol yn Aberystwyth, ac Aled, yr ail fab, yn byw yng Nghaerdydd. Gweithio i'w gwmni ef ei hun fel cyfarwyddwr ffotograffiaeth a drama/dogfen y mae ef gan ymgymryd â gwaith fel dyn camera i'r BBC a chwmnïoedd annibynnol yn bennaf. Mae'n briod ag Emily, sydd wedi rhoi'r gorau i'w gwaith fel prifathrawes i edrych ar ôl y merched, Betsan a Manon, sy'n mynychu Ysgol Gymraeg Gwaelod y Garth. Ac mae'r trydydd mab, sef Emyr, hefyd yn byw yng Nghaerdydd nid nepell o dŷ ei frawd yn ymyl Parc Fictoria. Golygydd i gwmni teledu Derwen yw ef a thestun balchder yw iddo dderbyn gwobr Bafta Cymru rai blynyddoedd yn ôl am ei waith.

Cafodd Aled brofiad dirdynol a dychrynllyd iawn rai blynyddoedd yn ôl pan oedd wedi mynd allan, ar ran y Groes Goch, yn un o'i hawyrennau i dynnu lluniau y Cwrdiaid a oedd yn cael eu herlid dros y ffin i Iran gan Saddam Hussein. Ar y ffordd yn ôl, wedi tynnu'r lluniau, cafodd ei arestio am nad oedd ei drwydded wedi cael ei stampio. Nid oedd wedi mynd trwy'r dollfa oherwydd mai gyda'r Groes Goch yr aethai i mewn i'r wlad. Fe'i cyhuddwyd o fod yn ysbïwr a'i daflu i garchar ac yn waeth na hynny cafodd ei ddedfrydu i farwolaeth. Ond bu'n ffodus bod y cyfieithydd yr oedd wedi'i gyflogi wedi llwyddo i ddianc a rhoi gwybod i Lysgenhadaeth Prydain am ei sefyllfa. Yno y bu yn unig yn y carchar, heb fedru'r iaith a neb arall yn gwybod amdano yn ei argyfwng. Trwy drugaredd daeth swyddog o'r Llysgenhadaeth a llwyddodd i'w ryddhau drwy roddi pedair mil o ddoleri amdano. Wrth gwrs, roedd yn rhyddhad mawr iddo gael dianc o Iran yn fyw ond roedd profiad brawychus arall yn ei ddisgwyl ar yr awyren a'i cludai adref. Galwyd hi yn ôl i Iran a daeth swyddogion y Llywodraeth ar ei bwrdd i chwilio am Aled Jenkins. Dangoswyd ffurflenni iddo i'w harwyddo. Gwrthododd Aled gan nad oedd yn deall yr iaith. Oni wnâi, yna ni châi adael. Ymhen amser esboniwyd iddo mai cadarnhau nad oedd wedi cael ei gamdrin oedd y bwriad, ac o ddeall hynny fe'u harwyddodd yn fodlon. Er ei fod wrth ei waith wedi teithio i leoedd peryglus mewn llawer gwlad, dyna'r perygl mwyaf y bu ynddo erioed a does fawr syndod nad yw'n awyddus i fynd yn ôl i Iran ar frys.

Ni fûm i erioed yn ddyn pwyllgor brwd ac eithrio, efallai, fel aelod ar bwyllgor Cymorth Cristnogol. Ond cyn ymadael ag Aberystwyth, cefais y fraint o fod yn Llywydd Cyngor Eglwysi Rhyddion De Cymru ym 1998. Erbyn hyn mae Cytûn wedi ymgymryd â llawer o'r gwaith a wnaed gan y Cyngor Eglwysi Rhyddion. Un o'r pethau hyfrytaf i mi oedd cael anrhydeddu'r ffyddloniaid a fu'n mynychu'r Ysgol Sul drwy eu hoes yn ddi-dor, drwy gyflwyno medal iddynt. Digwyddodd hyn yn y Tabernacl, Aberystwyth ar Fai 22, sef diwrnod fy mhen-blwydd, a braint anghymarol oedd cael rhoi medal i Annie Hughes Lewis, Tabernacl, Cefneithin, oherwydd hi oedd fy athrawes gyntaf yn ysgol Cwmgwili ym 1938. Y mae'r ffyddloniaid sydd dros eu pedwar ugain yn cael Medal Gee erbyn hyn, a'r ffyddloniaid yn eu saithdegau hwyr yn cael tystysgrif gan y llywydd. Hyfrydwch a braint oedd cael gwrando arnynt yn dweud gair byr wrth dderbyn yr anrhydedd hwn – nifer yn diolch am fendithion yr Ysgol Sul ac am y sylfaen a'r canllaw i'w bywyd. Onid ydyw'n drist na chaiff plant heddiw yr un breintiau â'r ffyddloniaid hyn?

Yr Ysgol Sul oedd coleg y werin yn y dyddiau a fu ac y mae ein dyled iddi yn anfesuradwy. Ymfalchïaf bob tro y cenir y pennill hwn ar ddiwedd y gynhadledd:

> Am yr ysgol rad Sabothol
> Clod, clod i Dduw.
> Ei buddioldeb sydd anhraethol,
> Clod, clod i Dduw.
> Ynddi cawn yr addysg orau,
> Addysg berffaith llyfr y llyfrau,
> Am gael hwn yn iaith ein mamau,
> Clod, clod i Dduw.

Nid oeddwn yn teimlo ei bod yn amser i mi ymddeol o'm dyletswyddau wedi cyrraedd 65 oed gan fy mod yn dal i fwynhau iechyd da. Gwyddwn y gallwn roi blynyddoedd lawer o wasanaeth eto, yn enwedig o gofio fod cynifer o eglwysi yn dyheu am arweiniad. Ac felly, dyma droi am ddolydd ardal amaethyddol Llanbedr Pont Steffan ychydig filltiroedd i'r de o Aberystwyth, i droedio cam nesaf y daith.

LLANBEDR PONT STEFFAN

Er i mi deithio cannoedd o weithiau o Ben-twyn, drwy Lanbed, i fynd i'r Coleg Diwinyddol yn Aberystwyth ac yna teithio trwy'r dref eto'n rheolaidd wrth fynd o Aberystwyth i'r de yn ystod yr wyth mlynedd ar hugain y bûm yn gweinidogaethu yn Aberystwyth, eto nid oeddwn erioed wedi meddwl y byddwn yn dod yn weinidog i'r dref fechan a'r ardal amaethyddol hon. Ond wedi ymadawiad y Parchedig Dewi Davies, a ymunodd â'r Eglwys Esgobol, derbyniais alwad i fynd i Lanbed i fugeilio eglwysi Shiloh, Llanbed; Salem, New Inn a Maesyffynnon, Llangybi. Cynhaliwyd fy nghyfarfod sefydlu ar brynhawn Sul ym mis Medi 1998, ac roeddwn mor ddiolchgar bod yr hen arferiad o gynnal cyfarfodydd sefydlu hirwyntog bellach wedi dod i ben ac na fu ond oedfa brynhawn yn unig.

Fel y gŵyr y cyfarwydd, tref fechan yw Llanbed ac iddi naws amaethyddol a gwerinol – tref lle clywir y Gymraeg yn fyw ar dafod leferydd yn y siopau a'r strydoedd. Cefais ymhlith trigolion y dref hon groeso twymgalon a buan y teimlais yn gartrefol yn eu plith. Yn ôl yr hanes, prin iawn oedd poblogaeth y dref tua dechrau'r bedwaredd ganrif ar bymtheg hyd nes i Syr John Harford a'r Esgob Burgess godi Coleg yma ar gynllun Rhydychen a Chaergrawnt. Coleg Llanbed wrth gwrs yw'r coleg hynaf yng Nghymru ac mae iddo le pwysig dros ben yn hanes y dref.

Tua chant o aelodau oedd yn Shiloh pan ddechreuais ar fy ngweinidogaeth ym 1998 a gwerthfawrogais groeso, cwmnïaeth a chyfeillgarwch nid yn unig yr aelodau, ond hefyd y blaenoriaid ffyddlon a da. Erbyn heddiw mae niferoedd y plant wedi cynyddu ac fe gynhelir Ysgol Sul lewyrchus yno. Heddiw, hefyd, ceir yma ofalaeth bro, wedi i Soar, sef eglwys yr Annibynwyr, ymuno â'r ofalaeth yn y flwyddyn 2000.

Mae'r Parchedig Lodwig Jones, un o gyn-weinidogion yr eglwys ac un o dywysogion y pulpud Cymraeg yn ei ddydd, yn aelod yn Shiloh o hyd. Erbyn heddiw ni all fynychu'r oedfaon oherwydd ei fod mewn oedran teg ac yn byw mewn cartref preswyl yn Alltymynydd ger Llanybydder. Braf, serch hynny, yw cael ymweld ag ef o dro i dro a chael elwa ychydig o'i brofiadau cyfoethog.

Aelod arall a fu'n barchus iawn yn ein plith tan ei farwolaeth yn ddiweddar oedd Islwyn Ffowc Elis – y llenor a'r ysgolhaig nodedig a fu'n gymaint o ddylanwad ar genedlaethau o ddarllenwyr y Gymraeg. Cofiwn i'w nofel, *Cysgod y Cryman*, gael ei dyfarnu'n llyfr Cymraeg gorau'r ugeinfed ganrif. Roedd yn ŵr hynod dalentog ac nid llenyddiaeth yn unig oedd yn mynd â'i fryd, oherwydd yr oedd hefyd yn arlunydd ac yn gerddor dawnus. Rhyfedd meddwl weithiau bod cynifer o ddoniau yn perthyn i un dyn. Ond, er mor amryddawn ydoedd ac er mor finiog ei feddwl, roedd yn ŵr tawel a diymhongar na ddisgwyliai unrhyw glod na bri. Dyfarnwyd iddo radd D. Litt Prifysgol Cymru ym 1993 ond nid un i ymffrostio ydoedd ar gorn yr anrhydedd hwnnw.

Digon beirniadol oedd o'r eglwys fel sefydliad a mynnai fod enwadaeth yn hollol amherthnasol wrth wynebu problemau ein heddiw ni. Credai mai dim ond cymdeithas Gristnogol a chanddi weledigaeth ac argyhoeddiad a fyddai'n ddylanwad iachusol ar ein byd. Roedd Eirlys, ei wraig, yn athrawes Ysgol Sul yn Shiloh a byddai Islwyn yn ysgrifennu dramâu newydd ar gyfer y Gymdeithas Ddiwylliadol, gan sicrhau bod pob aelod yn cael rhan yn y cynyrchiadau hynny. Cyfrannodd yn helaeth at nifer o eglwysi'r ardal ar y Sul a bu'n aelod ffyddlon o frawdoliaeth y gweinidogion a fyddai'n cyfarfod ar fore Llun cyntaf y mis yng nghartref y cyn arch-ddiacon, Sam Jones. Fel gweinidogion, teimlem ei fod fel brenin yn ein plith a byddai ei gyfraniad i'r drafodaeth yn un cyfoethog a goleuedig bob amser.

Roeddem yn gwmni hapus gyda'n gilydd yn y frawdoliaeth, sef y

Parchedigion Y Tad Dorian Llewelyn, Timothy Morgan, Winzie
Richards, Wynne Edwards, Roger Humphries, Wyn Vittle, Glanville
Jones, Stephen Morgan, Jeffrey Clayton a minnau. Bob mis Mehefin
byddem yn mynd ar daith i ryw le hanesyddol, ac yna ymhen
ychydig ddyddiau byddem yn cyfarfod gyda'n gilydd unwaith eto i
gael swper yng nghwmni ein gwragedd yn un o westai'r dref. Tim
fyddai'n gyfrifol am ddangos y lluniau a dynnwyd ar y daith a
byddai Winzie yn darllen penillion diddorol a digri a gyfansoddwyd
yn arbennig ganddo i grynhoi ein profiadau o'n hymweliad.
Cymdeithas hyfryd a hapus oedd hon ac mae'r atgofion yn felys.

Hyfryd, hefyd, yw'r cof am gyfarfod a gynhaliwyd yn Shiloh ar
ddiwedd 2000, i anrhydeddu dau lenor o fri, sef Mrs Bethan
Phillips ac Islwyn Ffowc Elis. Afraid dweud cymaint yw ein dyled i'r
ddau, ac yn ystod y nos talwyd teyrngedau diffuant iddynt gan Miss
Gwerfyl Pierce Jones o Gyngor Llyfrau Cymru, ymhlith
gwahoddedigion eraill. Cyflwynodd Mr David Davies, un o
flaenoriaid yr eglwys, ddarlun o adfeilion Ffynnonbedr o waith yr
arlunydd lleol, Robert Blainey, i Bethan ac yn yr un modd,
cyflwynodd Twynog Davies, ysgrifennydd yr eglwys, ddarlun o
Gastell y Bere, yn Llanfihangel-y-Pennant, i Islwyn Ffowc Elis.
Nodais eisoes bod Eirlys, sef gwraig Islwyn, wedi cyfrannu at waith
yr eglwys fel athrawes Ysgol Sul a theg, hefyd, nodi bod John
Phillips, gŵr Bethan, yntau'n barod iawn ei gymwynas i arwain
oedfa a phregethu pan na fyddai cennad yn gallu cadw cyhoeddiad
ar y funud olaf.

Un o gymeriadau diddorol Shiloh yw Glan Evans, Nantyffin,
Llanbed. Mae'n hanu o ardal Gorseinon ac aeth i Ysgol Ramadeg
Tre-gŵyr. Yno yr oedd yn ffrindiau mawr gyda Haydn Tanner a
Willie Davies neu William Thomas Harcourt Davies a rhoi iddo ei
enw llawn. Dau gefnder oedd y rhain a ddewiswyd, pan oeddent yn
ddisgyblion ysgol, i chwarae rygbi dros Abertawe yn erbyn
Awstralia. Gwnaethant enw mawr iddynt eu hunain ar faes San
Helen a thros Gymru. Bu Glan yn beilot yn yr Ail Ryfel Byd a
gwelodd wasanaeth caled yn y Dwyrain Canol. Cafodd brofiadau

mawr iawn yn ystod y cyfnod hwnnw – collodd ffrindiau pan suddwyd yr Avenger a disgynnodd ei awyren i'r môr yn agos at dref Le Havre. Yr hyn sy'n rhyfeddol yw bod tri o'r criw wedi llwyddo i gyrraedd glan mewn dingi fore drannoeth, a mynd i guddio mewn tas wair ar fferm gyfagos er mwyn ceisio cadw'n gynnes. Ond yn anffodus, daeth y ffermwr o hyd iddynt a dweud wrth yr Almaenwyr eu bod nhw yno, a'r canlyniad fu iddynt gael eu carcharu yn Caeon ac wedyn yn Le Bourget ar adeg troad y flwyddyn ym 1943. Wedi hynny, cawsant eu symud i garchar yng ngwlad Pwyl. Profiad rhyfedd i'w fam, druan, oedd clywed enw ei mab – Idwal James Evans – ar y radio yn ystod un o ddarllediadau Lord Haw-Haw. Ond Glan ydoedd i bobl Llanbed a bu ei gyfraniad fel athro yn Ysgol Uwchradd Llanbed yn un dylanwadol iawn gan iddo ddysgu nifer o ddisgyblion i drin y bêl hirgron.

Yn y flwyddyn 2000, ymunodd Soar, sef capel yr Annibynwyr yn y dref, â'r ofalaeth a sefydlwyd gweinidogaeth bro. Dangoswyd ysbryd rhagorol rhwng y ddwy eglwys ac yn fuan iawn gwelwyd y ddwy gynulleidfa yn cyd-addoli bob yn ail fore Sul o dan arweiniad un bugail. Yma yn Soar cefais gwmni'r Parchedig Emlyn Glasnant Jenkins. Er bod gennym yr un cyfenw a'n bod wedi ein magu yn agos iawn at ein gilydd yn ardal Cross Hands, nid oeddem yn perthyn. Byddaf weithiau'n tynnu coes ambell un bod y cyfenw Jenkins o waed brenhinol. Ystyr Jenkins, mae'n debyg, yw *kin of John*, ond go brin ein bod cynddrwg ag ef. Dim ond ychydig gaeau, fel yr hêd y frân, oedd rhwng ein cartrefi gan iddo ef gael ei fagu ar waelod tyle Bryngwili a minnau ar waelod tyle Pen-twyn. Roedd cefnau ein cartrefi'n wynebu ei gilydd dros gaeau fferm Llan-glasnant. Dywed y Parchedig Ieuan Davies, un o feibion y Tymbl, yn ei gofiant rhagorol i Emlyn, iddo gael ei enwi'n Emlyn Glasnant ar ôl Fferm Llan-glasnant. Yn ddi-os, dyma un o gewri'r pulpud yng Nghymru yn ei ddydd, a phwy na chofia am ei bregethu grymus a huawdl a'i genadwrïa a fyddai'n dwysbigo pawb a'i clywai. Bu'n weithgar iawn dros Gadwraeth y Saboth, Y Genhadaeth a'r Mudiad Dirwest yng Nghymru ac wedi tyrn o waith caled ym Mhencader,

Alltwalis ac Ebeneser Caerdydd, treuliodd gyfnod ymddeoliad yn Aberteifi cyn symud yn nes at deulu ei fab, Huw, sef un o ddiaconiaid Soar. Braint oedd treulio orig yn ei gwmni a chan fod y ddau ohonom yn perthyn i deuluoedd y creithiau glo cawsom aml sgwrs hyfryd wrth hel atgofion am hen lwybrau bore oes a gwaith y weinidogaeth.

Gweinidog nodedig arall y cefais ei gwmni yn Soar oedd yr Athro Cyril Williams a'i briod, Irene. Bu Irene yn hynod weithgar dros y blynyddoedd gyda mudiad Cymorth Cristnogol a gyda'r myfyrwyr tramor yng Ngholeg y Brifysgol yma yn Llanbed. Brodor o ardal y gweithfeydd glo ym Mhontiets oedd Cyril yntau, a gŵyr pawb am ei gyfraniad aruthrol, nid yn unig fel gweinidog, ond hefyd fel darlithydd hyddysg ym maes crefydd yn ein Prifysgolion yng Nghymru a thramor. Braf meddwl bod y Brifysgol yn Llanbed wedi neilltuo ystafell yn y coleg i ddwyn ei enw, fel arwydd o werthfawrogiad o'i ysgolheictod a'i gyfraniad helaeth dros y blynyddoedd. Erbyn i mi ddod i'w adnabod yr oedd wedi ymddeol, ond cefais ei gwmni yn yr oedfaon yn Soar, a byddai croeso twymgalon ar ei aelwyd bob amser. Fe'i cefais yn ŵr gostyngedig iawn ac roedd ganddo yntau ddiddordeb brwd yn erwau glo ei febyd ac mewn rygbi. Na, nid oedd un o'r mawrion hyn y cyfeiriais atynt wedi anghofio'r graig y'u naddwyd ohoni.

Eglwys arall sydd o dan fy ngofal yw Salem, New Inn, tua deuddeg milltir o Lanbed i gyfeiriad Caerfyrddin. O'r eglwys hon yr aeth John Evans i'r weinidogaeth – un arall o sêr y pulpud yn ei ddydd. Yn rhyfedd iawn bu yntau'n aelod ym Mhen-twyn, ac yn ôl ei ddymuniad cafodd ei gladdu wrth y mur ym mynwent y capel. Dywedai'r pregethwr, Mathews Ewenni, y gallasech dyngu mai o'r nefoedd y deuai John Evans bob tro y byddai'n esgyn i'r pulpud. Arferai pobl ei alw'n John Evans Llwynffortun, gan mai o Lwynffortun yr hanai ei wraig gyntaf, ond mae pobl New Inn yn ymfalchïo yn eu hanes ac fel John Evans New Inn y caiff ei adnabod ganddynt hwy. Diddorol, hefyd, yw nodi bod John Griffiths a fu'n fugail ar eglwys Pen-twyn ac a gododd dri mab i'r weinidogaeth, wedi bod yn fugail ar Salem, New Inn am naw mlynedd cyn iddo symud i Ben-twyn.

Person enwog arall a fagwyd i'r weinidogaeth yn Salem, New Inn oedd y Parchedig William Nantlais Williams a fu'n fugail ar eglwys Bethany, Rhydaman o 1900 i 1944. Brodor o'r Gwyddgrug, Pencader ydoedd ef ac fe gofiwn amdano fel bardd ac awdur nifer o emynau sy'n dal yn boblogaidd hyd at y dydd heddiw. Cofiaf amdano ef yn dod i bregethu i gapel Pen-twyn pan oeddwn i yn grwt yn eistedd yn y sedd gefn, a'r hyn a oedd yn amlwg oedd ei arddull agos atoch wrth gyflwyno'r efengyl. Bu ei fab, Rheinallt, yn darlithio yng ngholegau'r Bala ac Aberystwyth, gan baratoi ymgeiswyr ar gyfer y weinidogaeth ac mae ei fab yntau, sef yr Athro Stephen Nantlais Williams, yn darlithio ym mhrifysgol Queen's Belfast. Dyma gyfraniad anhygoel i'r pulpud a theyrnged ddigamsyniol i'r hyn a ddechreuodd yn Salem, New Inn, onid e?

Roedd perthynas i mi ar ochr fy nhad yn byw yn nhŷ capel New Inn gyda'i wraig, Bessie, a gafodd ei geni a'i magu yno. Bu'n golled fawr pan fu hi farw ddwy flynedd yn ôl yn 87 oed. Gŵr tawel a gostyngedig ydoedd ef a byddai drws y tŷ capel bob amser ar agor a chroeso mawr ar eu haelwyd. Byddai aelodau yn galw heibio'n aml am sgwrs a phaned cyn, ac wedi'r oedfa. Yn bersonol, gwelaf eisiau'r paned o de ar ôl oedfa'r prynhawn cyn cychwyn am Faesyffynnon, Llangybi. Eglwys fechan yw Salem o ran rhif a gwelir eisiau'r ffyddloniaid a fu'n mynychu'r oedfaon yn y gorffennol, cyn iddynt fethu oherwydd henaint a llesgedd. Ond serch hynny mae Ysgol Sul dda yma ar gyfer y plant o dan arweiniad Marian Howells ac Angela Evans. Mae'r Gymanfa Bwnc, sydd wedi peidio â bod mewn llawer o ardaloedd, yn dal ei thir yn y fro hon, ac rydym yn hynod o ddiolchgar i Meryl Richards am ei gofal cyson dros fuddiannau'r eglwys.

Y drydedd eglwys yn yr ofalaeth yw Maesyffynnon, Llangybi, sydd bedair milltir o Lanbed ar yr hewl sy'n arwain i Dregaron. Ar un adeg yn ei hanes anfonodd yr Henaduriaeth ddau gennad, sef Ebenezer Richard ac Ebenezer Morris, i ddwyn yr achos i ben yma gan mor wan ydoedd. Ond gwrthwynebodd rhai gwragedd duwiol a da y syniad o gau'r capel yn ffyrnig gan dystio iddynt gael gormod o'r 'nefoedd' yno. Y gwragedd a orfu, a dywedir bod Ebenezer Morris wedi datgan: 'Mae yma feini, Eben, ac nis gallwn feddwl am gau'r chwarel tra byddo yma feini'.

Da yw medru dweud hyd yn oed heddiw, mewn oes faterol, fod y chwarel hon eto'n dal ar agor a bod yma feini gwerthfawr o hyd sy'n dal i gynnal cymdogaeth glòs a hapus yng nghlyw'r efengyl. Mair Spate, ein hysgrifenyddes, sy'n byw yn y tŷ capel a hi sy'n edrych ar ôl buddiannau'r eglwys. Ei chwaer, Sally, sy'n edrych ar ôl y sefyllfa ariannol tra bod gofal y cyfarfodydd diwylliadol yn nwylo Mair Morgan.

Mae gweinidogaeth bro wedi gweithio'n dda yn Llanbed, er bod llawer o bentrefi wedi bod yn araf iawn i fabwysiadu'r cynllun. Pan fyddaf yn pregethu gartref yn Shiloh, y mae'r Presbyteriaid a'r Annibynwyr yn ymuno yn yr un oedfa. Rwyf yn dilyn cyfarfodydd yr Henaduriaeth gan y Presbyteriaid, a'r Cwrdd Chwarter gan yr Annibynwyr, a'r gwir yw ein bod yn trafod yr un pethau'n gyffredinol yn y cyfarfodydd hyn. Y fath wastraff ar adnoddau ac amser yw ein ffordd o grefydda ac mor drist, yn fy marn i, yw bod y cynllun i uno'r eglwysi rhyddion wedi methu rai blynyddoedd yn ôl. Does ond gobeithio nad â hi'n rhy hwyr i wasanaethu'r Un Arglwydd ryw ddydd. Y mae'n hwyr bryd i ni dyfu ac aeddfedu. Onid Awstin Sant a ddywedodd un tro, 'Undeb yn y pethau pwysicaf, rhyddid yn y pethau dibwys ac ym mhob peth, cariad'?

Mae cydweithio hapus rhwng y rhan fwyaf o eglwysi'r dref, sef Eglwys Rufain, yr Eglwys yng Nghymru, y Presbyteriaid, yr Annibynwyr, y Bedyddwyr a'r Undodiaid. Byddwn yn rhannu cymdeithas â'n gilydd pob dau fis, ac er nad yw hynny'n golygu ein bod yn trafod athrawiaeth, fe ddaw cynulleidfa dda ynghyd mewn defosiwn i ddarllen y Gair a gweddïo a gwrando ar neges gweinidog gwadd. Yna, ar ddiwedd y cyfarfod, byddwn yn mwynhau cymdeithas bellach â'n gilydd dros gwpaned o goffi. Rwy'n hoff iawn o eiriau John Wesley gynt a ddywedodd wrth frawd o enwad arall, 'Os yw dy galon di yn curo fel fy nghalon i, mewn cariad a pharch at yr Arglwydd Iesu Grist, yna dyro i mi dy law ac fe gerddwn ymlaen gyda'n gilydd i'r dyfodol'.

Ond arall yw'r arwyddion yn aml, ac un o sgil effeithiau trist ein sefyllfa grefyddol ni heddiw yw gorfod datgorffori capeli. Gorchwyl trist iawn i mi, yn bersonol, oedd gorfod mynd yn ôl i Ben-twyn ar nos Fawrth, 15 Mehefin 2002, i ddatgorffori'r capel yr oeddwn mor ddyledus iddo am fy magwraeth. Y capel hwn oedd fy 'Westminster Abbey' bach i a'r atgofion amdano yn amhrisiadwy. Yn ei soned i 'Sir Gaerfyrddin', mynegodd Gwenallt angerdd ei deimlad tuag at sir ei gyndeidiau:

Ni wyddom beth yw'r ias a gerdd drwy'n cnawd
Wrth groesi'r ffin mewn cerbyd neu mewn trên:
Bydd gweld dy bridd fel gweled wyneb brawd,
A'th wair a'th wenith fel perthnasau hen;

Felly y teimlwn innau ac amryw eraill, mi dybiaf, wrth groesi'r ffin yn ôl i oedfa olaf y capel ym Mhen-twyn. Roedd ffrydiau o atgofion melys a dwys yn llifo drwy feddwl pawb a oedd yn bresennol yno am y tro olaf, o weld colli'r etifeddiaeth Gristnogol a fu'n gynhaliaeth i genedlaethau dros y blynyddoedd. Cofiwn eiriau T. Rowland Hughes yn ei gerdd, 'Blychau':

Nid ydynt hardd, fy ffrind, i chwi,
ein hen addoldai mawr, di-ri,
ond hwy a'n gwnaeth.
o'r blychau hyn y daeth
ennaint ein doe a'n hechdoe ni . . .

Do, fe ddaeth atgofion melys yn ôl am yr hen gymeriadau gwreiddiol a fynychai'r capel, pobl megis Katie Evans (modryb Dr Eifion Evans) a gerddai i fyny'n rheolaidd o Cross Hands ym mhob tywydd i'n dysgu ni, blant digon anystyriol, yn y Band of Hope yn y festri; Gethin Davies, Pennaeth Swyddfeydd Bwrdd Glo y De ac ysgrifennydd rheolwyr Cynheidre ar un adeg, a Harold Owen, Fferm Blaenau Mawr, a'n dysgodd yn yr Ysgol Sul. Os na chawsant hyfforddiant mewn coleg, roedd ganddynt brofiadau i'w trosglwyddo i ni. Cofiwn hefyd am Twm bach y barbwr a'i siop ar sgwâr Cross Hands, ac fel y gwnaeth pobl y capel gasgliad pan losgodd ei siop i'r llawr er mwyn iddo gael siop arall yn ei lle. Pobl ddiwylliedig oeddent hwy, ac mae'r hen gymdogaeth dda honno wedi aros gyda mi. Ni allwn lai na meddwl am y geiriau, 'Mieri lle bu mawredd', wrth gau drws y capel annwyl hwnnw am byth.

Llywyddwyd y gwasanaeth datgorffori gan y Parchedig Maldwyn John, llywydd yr Henaduriaeth, ac fe gymerwyd rhan gan y Parchedigion D. J. Jones, cyn-weinidog yr eglwys, Leslie Jones, Dr Watkin James a minnau. Cymerodd rhai o aelodau ffyddlon y capel ran hefyd, sef Eirlys Davies, Meirwen Davies a Nesta Davies, ac Einir Smith a wasanaethodd wrth yr organ. Trist oedd sylweddoli bod capel Gibea, Cwmgwili, yn cau hefyd tua'r un adeg, ac mae'r ddwy eglwys bellach wedi ymuno â Bethel, Cross Hands o dan enw newydd, sef Capel Y Drindod.

Rhyfedd meddwl bod llawer o sôn adeg y datgorffori hwn, am y 'Great Redeemer' a ddaethai o Seland Newydd am arian mawr i geisio achub ein tîm rygbi cenedlaethol. Er cymaint fy malchder o fod wedi chwarae a chynrychioli Cymru yn y gamp hon, cymaint mwy y fraint o gael sefyll yn y pulpud a chlywed y gweddill ffyddlon yn canu emynau Seion a dweud gair dros yr unig 'Great Redeemer' sy'n cyfrif. Do, fe ddaeth yr oes seciwlar â'i hestroniaid i'r fro a bellach nid yw'r capel yn adeilad ar fryn na ellir ei guddio, ac ni wêl pobl Cross Hands islaw oleuni yn ei ffenestri yn nhywyllwch gaeaf yn eu hatgoffa am y realiti dwyfol.

Nid yn hir wedi cau capel Pen-twyn bu'n rhaid i gapel arall a oedd yn agos iawn at fy nghalon gau, sef y Tabernacl, yn Aberystwyth, a deallaf bellach fod yr adeilad hardd hwn, mor drawiadol ei bensaernïaeth, wedi cael ei werthu a bod cynlluniau ar waith i'w droi'n bedwar ar ddeg o fflatiau. Os nad yw'n gartref ysbrydol mwyach, o leiaf bydd yn gartref i rywrai.

Mae'r hiraeth yn dal yng nghalonnau ac ym meddyliau llawer ohonom am y dyddiau pan oedd haul ar fryn, oherwydd mae'r gaeaf materol wedi bod yn hir. Hiraethwn am weld yr enfys yn y glaw, ac am adfywiad ysbrydol. Onid felly y mae Duw wedi gweithio ar hyd y canrifoedd? Er bod popeth yn newid mae yna Un sy'n aros byth yr un. Fel y dywedodd Tennyson:

Our little systems have their day;
They have their day and cease to be:
They are but broken lights of Thee
And Thou, o Lord, art more than they.

Wrth edrych yn ôl diolchaf am y fraint o gael bod yn y weinidogaeth, a diolchaf am yr ardaloedd hynny lle bûm yn gwasanaethu. Mae'n hawdd i mi amenio geiriau'r Salmydd pan ddywedodd fod ei 'linynnau wedi disgyn mewn lleoedd hyfryd'. Carwn, fodd bynnag, petawn wedi gallu cyflawni fy ngwaith yn well, ond gan mor aml y cyfrifoldebau, bu'n amhosibl gwneud y cyfan y dymunwn ei wneud. Ceisiais roi'r flaenoriaeth i bregethu'r gair ac i fugeilio pobl Dduw, yn enwedig y rhai a oedd yn sâl yn eu cartrefi ac mewn ysbytai, neu'r rhai hynny a oedd mewn cartrefi preswyl a'r rhai oedd yn galaru.

Wrth edrych i'r dyfodol, mae'n gysur gwybod bod dwywaith mwy o Gristnogion yn ein byd ar ddechrau'r ganrif hon nag oedd ar ddechrau'r ugeinfed ganrif. A pha beth bynnag sydd wedi digwydd i Gymru yn y gwrthgiliad mawr, rwyf yn gwbl ffyddiog y daw eto adfywiad i'r pethau a berthyn i'n heddwch. Yn sicr, bydd rhaid newid llawer o ran tystiolaeth yr eglwys yn y dyfodol. Bydd angen adeiladau aml-bwrpas a Christnogion goleuedig, a bydd yn rhaid i bob unigolyn gofio ei fod yn perthyn i offeiriadaeth yr holl gredinwyr os ydym i gyfarfod â'r holl ofynion sy'n perthyn i genhadaeth yr eglwys.

Pe baem yn gosod darn o surdoes o dan y meicrosgop, fe welem ei fod yn fyw, yn ddynamig ac yn gweithio'n dawel i gyflawni ei ddiben. Tebyg yw'r efengyl, mi dybiaf. Er gwaethaf holl sgeptigaeth ein hoes, mae'r efengyl ar waith yn dawel, ond yn effeithiol, ac fe oresgyn pob trai a llanw.

'All real life is meeting', meddai'r diwinydd enwog Martin Buber. Ie, dyna ydyw, cwrdd â phobl a chwrdd â Duw. Bu'r daith yn un hyfryd a braint yw cael rhannu rhywfaint ohoni gyda chi.

Swyddogion Moriah, ynghyd â'r Parch J. Elwyn Jenkins, 1964

Pwyllgor gwaith eisteddfod y capeli ym Mrynaman

Plant Moriah yn cystadlu yn y gân actol

Capel y Tabernacl,
Aberystwyth

Elm Bank yn y gaeaf

Y cyfarfod sefydlu yn y Tabernacl, Aberystwyth, ym Medi 1970

Y te croeso yn festri'r Tabernacl

Fi, yn eistedd rhwng y Parchedigion David Jones a T. J. Davies,
ynghyd â blaenoriaid y Tabernacl, ym 1970

Blaenoriaid y Tabernacl, 1985

Swyddogion eglwys Seilo

Adeilad hardd Seilo, Rhodfa'r Gogledd yn Aberystwyth

Dosbarth Ysgol Sul y Tabernacl gyda Mrs Enid Phillips, ei hathrawes

Ysgol Sul Penparcau

Pawb yn barod am y gêm

Cyflwyno medal Doris Bevan Evans i Mrs Annie Hughes Lewis,
fy athrawes gyntaf yn ysgol Cwmgwili

Capel y Morfa

Y diweddar annwyl Terry Adams a'r
teulu – un a fu'n gyfaill oes i mi

Cyflwyno siec o £100,000 i'r Arglwydd
Geraint yn rhinwedd fy swydd fel
Cadeirydd Ffrindiau Ysbytai a Chartrefi
Aberystwyth

Yng nghwmni'r Parchedigion Lyn Evans, George Noakes a Patrick Thomas
ger Mur yr Wylofain yn Jerwsalem

Cartŵn a dynnodd
Hywel Harries yn
dilyn f'ymweliad â
gwlad Israel

Y teulu yn mwynhau te prynhawn gyda'i gilydd

Y tri mab (o'r chwith), Aled, Iwan ac Emyr

Elizabeth a minnau ym mhriodas Aled

Aled, Emily a'r merched, Betsan a Manon

Capel Soar,
Llanbedr Pont
Steffan

Capel Shiloh, Llanbedr Pont Steffan

Eglwys Salem M.C. New Inn

Capel Maesyffynnon, Llangybi

Ysgol Haf gweinidogion yr Annibynwyr, Mehefin 2005

Pwyllgor gwaith Bro Llanbed yn gwahodd Undeb yr Annibynwyr yn 2006

Blaenoriaid a diaconiaid cylch bugeiliol Llanbedr Pont Steffan, 2008